KB096648

〈삶의 지혜 5〉

세상이 왜 이래?

송근원

〈삶의 지혜 5〉 세상이 왜 이래?

발   행 | 2021년 7월 30일

저   자 | 송근원

펴낸이 | 한건희

펴낸곳 | 주식회사 부크크

출판사등록 | 2014.07.15.(제2014-16호)

주   소 | 서울특별시 금천구 가산디지털1로 119 SK트윈타워 A동 305호

전   화 | 1670-8316

이메일 | info@bookk.co.kr

ISBN | 979-11-372-5182-3

www.bookk.co.kr

© 송근원 2021

본 책 내용의 전부 또는 일부를 재사용하려면 반드시 출처를 밝히셔야 합니다.

세상이 뒤집어졌다.

옛날이 지금이 되니 모든 것이 거꾸로다.

개가 사람 대접을 받고, 사람이 개 취급을 받는 세상이 되었다.

남자가 여자가 되고, 여자가 남자가 되는 세상이다. 남자가 하던 일은 여자에게 빼앗기고, 여자가 하던 일을 남자가 스스로 나서서 하는 세상이다.

목적이 수단에 전도되고, 절차가 본질을 앞선다.

사회지도층이라는 언론도 검찰도 대학도 이에 발맞추어 양심이란 단어는 실종되고, 제멋대로 지 편한 대로 움직인다. "아니면 말고!"를 외치면서.

민의의 전당이란 의회, 그 속에서 활약하는 정치인은 더 말할 필요도 없다. 민의는 실종되고 국가와 사회는 돌보지 않으며 자기 이익에만 급급하다.

그렇지만 국민들은, 예전부터 늘 보아왔던 행태가 좀 더 강화되었을 뿐이라 생각하여 으레 그러려니 한다.

이러한 변화는, 우리 의식구조 밑바탕에만 깔려 있던, 돈만 아는 천민자본주의와 이기심에 바탕을 둔 철저한 개인주의적 가치가 이제는 위로 위로 뚫고 나와 밖에서 활개를 치며 나타나는 행태의 일면들일 뿐이다.

'사람'보다는 '돈'이, '협력'보다는 '경쟁'이, '우리'보다는 '나'가 이 세상을 지배하는 가치가 된 까닭 아니겠는가!

세상은 뒤집어 졌다. 경상도 사투리로, 완전히 디비졌다.

오죽하면 나훈아가 테스 형을 찾을까?

여기에 작년부터는 눈에는 뵈지도 않는 코로나 바이러스 19가 사람들을 꼼짝 못하게 만들고 있다.

이런 세상에서 어찌 살아야 할 것인가?

이 책은 이에 대한 현실 진단과 함께, 이런 험난한 세상에서 필요한 삶의 지혜와 방향을 조금이나마 제시해 보고자 시도한 것이다.

이 책 1부 '생각' 편에서는 '나'에 대한 인식, '우리'에 대한 인식, '시간'과 '소유'에 관한 바람직한 시각 등을 제시해 놓았고, 2부인 '생활' 편에서는 변화되고 있는 세상에 대한 한탄과 더불어 현금의 정치와 정책에 관한 단상들, 그리고 코로나로 인해 바뀐 우리의 일상들 따위를 붓 가는 대로 적어 놓았다.

물론 이러한 급격한 변화 속에서 정부가 어찌해야 할 것인가에 관해 좀 더 알고 싶은 분들도 있을지 모르겠다. 이 분들을 위해서는 부크크에서 출간한 〈4차 산업 사회와 정부의 역할〉이라는 또 다른 책이 있으니, 이를 참고하시면 될 것 같다.

변화는 늘 우리와 함께 한다.

현재는 21세기 아닌가?

뭔가 달라도 한참 달라지는 것이 정상이다.

그 변화가 바람직한 변화가 아니라고 실망할 필요는 없다.

역사가 정반합의 과정을 거치듯 변화는 또 다른 변화를 낳으며 진화할 것이기에.

현재 나타나는 현상은 옛날에 견주어 180도 뒤집어 진 것이니, 다시 한 번 180도만 뒤집어지면 원상 복구되는 것 아닐까?

단지 새로운 변화에 조금이라도 빨리 적응하기 위해서, 아니 새로운 변화를 좀 더 바람직한 변화로 이끌기 위해서는, 기존의 패러다임과는 다른 새로운 인식과 시각이 필요하지 않을까?

이 책을 읽으면서 나와 우리, 소유와 공유, 그리고 우리의 일상을 되돌아보며 변화에 대한 새로운 시각을 얻었으면 좋겠다.

이런 점에서 이 책의 1부 '생각' 편은 2017년 교보문고 퍼플에서 출간한 〈삶의 지혜 2: 아름다운 세상, 추한 세상 어느 세상에 살고 싶은가요?〉의 후속편이라 할 수 있다.

2부 '생활' 편은 우리의 일상에서 보고 듣고 느낀 것들과 세상의 변화에 대한 감상, 그리고, 특히 코로나와 관련된 일상에서 체험하고 주장하고 싶은 것들을 수필로 옮겨 놓은 것이다.

이 책에서 쓴 이가 보여주고자 하는 삶의 지혜나 변화에 대한 새로운 시각이 읽는 분들에게 도움이 되었으면 하지만, 어쩌면 마음 비우시고, 그냥 웃으면서 "재미있구나." "이런 에세이도 있구나." 하면서 심심풀이로 읽어주셔도 고맙겠다.

읽는 분들의 행복을 빈다.

덧붙여 이 책 표지와 내지에 쓰인 사진들을 무료로 쓸 수 있게 해준 https://pixabay.com/ko에 감사를 전한다.

단기 4338년 5월 정리하고, 4353년에 다시 정리하고
4354년 출판하다
솔뜰

<u>목차</u>

들며

생각

나 I

나 II

관계 Ⅰ

관계 Ⅱ

시간

소유 무소유 사유 공유

생활

일상

정치와 정책

세상이 왜 이래?

코로나 I

코로나 II

생각

나 I

나 II

관계 I

관계 II

시간

소유, 무소유, 공유

나 I

삶

사람들은 지 생각대로 산다고 하지만, 대부분은 그러지 못한다.

나의 삶은 나의 것이고,

나의 판단은 나의 몫이며,

판단한 순간 그건 바로 나의 운명이 된다.

울타리

사람은 자신이 쳐 놓은 울타리에 갇혀서 산다.

울타리를 걷어내면 새로운 세상이 보이지만, 스스로 걷어내지 못하고 신세 한탄만 한다. 그리곤 누군가가 자신의 울타리를 걷어내 주기를 무작정 기다린다.

그러나 그 누군가도 자신의 울타리에 갇혀 너의 울타리를 걷어내 줄 힘이 없느니.

<u>스스로 걷어내라!</u>

나를 발전시키는 것은 나 자신뿐이다.

가능과 불가능

가능과 불가능의 기준이 무엇인가?

내가 하고자 하는 마음, 내가 할 수 있다는 마음, 그것이 기준이다.

사람들은 모르면 돌아가거나 회피하곤 하지. 그것도 하나의 방법이긴 하다. 그러나 몰라도 무모하게 바로 나아가는 사람도 있다. 물론 넘어질 수는 있지. 꺾이고 부러져도 다시 일어나 나아가면 된다.

그것으로 족하다.

인생 별거 아니다. 후에 왜 그때 도전하지 못했을까 후회만 하지 않으면 되는 거다. 실수해도 되는 거야. 그건 실패가 아니니까.

문제는 어찌 하더라도 후회가 남지 않으면 되는 거다.

생각

힘을 기르는 이유

니가 아는 것이 이 세상의 다가 아니야.

힘없으면 서럽고 힘든 세상이다.

세상은 늘 공정하고 올바르며 아름답게 살 수 있는 곳이 아니다.

힘이 없으면 힘 있는 사람에게 당하기 쉬운, 약육강식도 존재하는 게 세상이다.

착하다고 잘 살 수 있는 세상은 아닌 것이다.

착함이 잘못은 아니다. 그리고 힘없는 게 잘못은 아니다.

그러나 잘못이 없다고 부당하게 입는 피해가 생기지 않는 것은 아니다.

부당하게 당하지 않으려면 힘을 기르는 수밖에 없다.

힘이 없으면 그나마도 바르게 살아갈 수 없는 게 이 세상이다.

힘을 기르라는 것은 이 세상을 뜯어 고치기 위해서가 아니다.

이 세상을 뜯어 고치려 하면 부당한 힘과 맞서야 한다.

그 결말은 한시적으로 영웅이 되거나, 비참한 패자가 되거나 둘 중 하나일 뿐이다.

그렇지만 그 어느 것도 자신을 행복하게 해주지는 않는다.

세상은 고쳐지지 않는다.

부당함과 맞서 고쳐 놓은 세상은 얼마 안 있어 다시 원래대로 돌아간다.

그렇다고 당하고 살아야 되겠는가?

너 혼자만이라도 바르게 살아가가기 위해서라도 힘은 필요한 것이다.

말의 힘

함부로 죽이겠다는 말을 하지 마라. 말은 마음을 움직이는 재주가 있으니!

세상에 도움이 되는 말을 해라. 말이 행동으로 나타날 것이니!

생각과 행동

아무리 좋은 생각이라도 생각에만 머물면 그건 망상일 뿐이고, 하잘 것 없는 생각이라도 행동으로 옮기면 그건 나의 자산이 된다네. 비록 실패하더라도 그건 도약을 위한 새로운 발판이 되지 않겠는가?

좋은 생각도 필요하지만 그걸 실천하는 건 더 중요하다. 청춘이여, 실천을 두려워 말라!

해라. 말이 행동으로 나타날 것이니!

말의 무거움

생각은 자유다.

그렇다면, 표현도 자유인가?

헌법에도 사상의 자유, 양심의 자유가 기본권으로 보장되어 있지만, 표현의 자유는……?

표현의 자유 자체는 기본권으로 인정되지만 표현에는 책임이 따른다.

특히 사회적으로 영향력 있는 사람들에게는 표현 자체가 마냥 자유일 수는 없다.

잘못된 말 한마디가 사회를 엉뚱한 방향으로 인도하는 까닭이다.

생각은 안에 있으나 말은 밖에 있는 것이다. 그래서 생각은 가벼워도 말은 무거워야 하는 법이다.

특히 요즈음 정치인들의 막말 행태를 보
면, 저절로 이맛살이 찌푸려진다.

물론 이런 말을 듣는 사람들이 이 말들을
받아들일지 말지를 결정할 수 있는 자유가 있
기는 하다.

그러나 문제는 무지한 사람들이 이에 동
조한다는 데 있다.

무지는 죄이다.

부지도 죄이지만, 아무래도 말의 무거움을 모르는 사람들 또한 그
책임에서 회피할 수 없는 것이다.

젊음은 기회이다.

젊음은 기회이다.

젊은이에게는 발전할 수 있는, 변화할 수 있는 수많은 기회가 있다.

이는 젊은이에게 주어진 축복이다.

수많은 기회를 이용하여 자신을 만들어 나가는 것은 젊은이만이 누릴 수 있는 특권이다.

사람이 만든 가장 위대한 작품은 피라미드도 아니고, 에펠탑도 아니고, 바로 자기 자신이다.

자기 자신을 어떻게 만들어 나가는가는 주어진 기회를 어떻게 이용하는 가에 달려 있는 것이다.

늙음은 그 수많던 기회가 경험으로 변한 것일 뿐이다.

그렇지만 그러한 경험을 바탕으로 새로운 기회를 만들어낼 줄 알아야 제대로 늙는 것이다.

단지 놓친 기회를 한탄만 하고 있다면 그것은 정말로 우매한 짓이다.

(2013.6.23)

길

어디로 가든 길이 있다.

다만 많은 사람들이 그 길을 찾아내지 못하고 방황할 뿐이다.

눈앞의 길만 보일뿐, 숲에 가려 눈에 잘 띄지 않는 자신의 적성과 능력에 맞는 그 길을 보지 못하고 힘들게 사는 것이다.

(2013.9.24)

취업의 비법

두 종류의 사람이 있다.

한 사람은 먹기 위한 일이 먼저이고, 자기가 하고 싶은 일이나 자기가 잘 하는 일은 여유가 있을 때 할 수 있다고 생각하는 사람이고, 다른 한 사람은 자기가 하고 싶은 일, 잘 하는 일이 먼저이고 먹고 사는 것은 그 다음이라고 생각하는 사람이다.

누가 옳을까?

대부분의 사람들은 전자에 속한다. 하기 싫은 일이지만 당장 일을 하지 않으면 먹고 살 수 없다고 생각한다.

그래서 자기가 하고 싶은 일이나 잘 할 수 있는 일은 팽개쳐둔 채 고생하며 살아간다.

사람들은 흔히 자기가 하고 싶은 일이나 잘 할 수 있는 일은 대부분 생계--돈--과는 관련이 없다고 생각한다.

그러나 전혀 그렇지 않다.

생각

돈과는 관련이 없어 보이는 일이지만, 일단 그 세계에 들어가 보면 돈을 벌어 살 수 있는 길이 분명히 있다.

다만 그 길을 찾을 생각이 없으니 그렇게 생각하는 것이다.

생각이 미치지 못한 채 눈에 보이는 돈만 좇아 일을 하기 때문에 평생을 고생하면 사는 사람이 얼마나 많은가!

젊은이들에게 권하고 싶은 것은 자기가 하고 싶은 일, 그 가운데 잘 할 수 있는 일을 하라고 하고 싶다. 그것이 어느 것인지는 각자에게 달려 있으나, 분명히 길은 있다.

젊음이 좋은 것은 아직 젊기 때문이다.

현재의 일이 잘할 수 있는 일이 아니라면, 내가 하고 싶어 하던 일이 아니라면, 빨리 바꾸어 잘 할 수 있는 일, 하고 싶은 일을 열심히 할 수 있기 때문이다.

뜻이 있는 곳에 길은 있게 마련이다.

(2013.7.21)

나 II

기죽지 마라

1 골짜기에 있는 사람이나 산꼭대기에 있는 사람이나 별에 손 댈 수 없음은 같으니라.

(2012.1.15).

2 잘못은 당신이 판단하는 게 아냐. 이긴 사람이 판단하는 거지.

(2013.6.17)

3 희망은 절망 뒤에 오는 것이다.

(2015.11.7)

4 추락을 염려하면 결코 날 수가 없다.

생각

제약은 축복

A: "매일매일 세 끼를 이렇게 때울 수 있다면 마나 좋을까요? 아침은 전복죽, 점심은 삼계탕, 저녁은 추어탕!"

B: "우찌 세 끼를 그렇게 먹누? 가끔가다 하나씩 먹어야지 맛있는 것이지 그것이 일상이 되면 금방 지겨워 질 겨! 매일 매일 추석 연휴만 같았으면 하지만 직장 잃고 매일 휴일이라고 한 번 생각혀 봐! 하고픈 것을 하지 못하게 하는 것, 그것이 바로 축복잉겨!"

(2013.9.23)

실패의 미덕

실패는 우리에게 교훈을 통해 배움의 기회를 준다.
그러나 성공은 교훈을 주지 않는다. 자만을 주지 않으면 다행이다.

사람이 진실을 마주한다는 것은 견디기 어려운 일이다. 특히 실패의
진실을!
그렇지만 이를 정면으로 마주해야 교훈을 얻을 수 있다.

실패를 마주함을 두려워하지 말라.
단지 그 실패는 스쳐 지나가는 기차 밖 풍경 같은 것이니까~.

생각

노력

모자란 능력을 쓰려하면 골치부터 아파온다. 골치를 썩인다는 건 능력이 부족하다는 뜻이다.

그렇다면?

능력을 키우는 수밖에 없다.

어떻게?

먼저 책을 읽고 부딪쳐가며 생각하는 습관부터 들여야 하느니.

평상시에 감사하라
그리고 즐겨라

사람들은 우매해서 원 상태가 가장 좋은 것임을 모른다.

그러다가 그것이 뒤틀리면, 그러다가 다시 원 상태로 회복되면 그것을 축복하고 기뻐한다.

건강할 때는 건강의 기쁨을 모른다. 건강의 감사함을 모른다. 그러다가 아프면 그제야 건강을 알게 된다. 그리고 나으면 그것을 축복하고 기뻐한다.

그러나 그것도 잠시, 조금 지나면 그 기쁨과 고마움을 또 잊는다.

그렇듯 인간은 우매한 것이다.

생각

평상시에 아무 일 없이 지내는 동안 늘 감사하고 그것을 기쁨으로 알고 즐겨야 하는데, 그 상태에서는 그 진가를 모르고 제멋대로 행동한다.

맛있는 음식을 앞에 놓아두고는 감사할 줄 모르고, 달려들어 먹다가 배가 부른 후에나 하느님께 감사함을 느낀다.

인간이란 원래 그런 것이다.

(2013.6.26)

행복

① 자유와 행복

자유란 행복을 위한 조건이긴 하다. 그러나 자유롭다고 해서 행복한 것은 아니다.

행복은 약간의 부자유 속에서 존재하는 법이다.

(2013.9.20)

② 웃음과 눈물

웃어도 좋고 울어도 좋다.

웃음은 행복을 누리는 것이고, 눈물은 슬픔을 버리는 것이니까.

(2021.3.20)

놀음의 미학

1 "놀면서 일을 하면 고용주에게도 피해가 가겠지만, 당신은 더 큰 피해를 입게 된다."

나폴레온 힐의 말입니다.

그렇지만 내 생각은 다릅니다.

이 말은 노동을 착취하고픈 경영주의 말이 아닐까요?
이는 진정 놀음의 미학을 모르면서 하는 무
식한 말일 겁니다.

놀면서 일을 해야 능률이 오르지요. 다만 사
람들이 놀면서 일을 하는 방법을 모르는 것이

문제이지만요.

2 "주연(酒宴)을 베풀고 노는 친구와 사귀고 있으면 언젠가는 스승을 거역하게 된다."

예기에 나오는 말입니다.

그렇지만 내 생각은 다릅니다.

"주연(酒宴)을 베풀고 노는 친구와 사귀고 있으면, 언제든지 먹고 마실 수 있다."

생각

관계 I

윤리와 사랑

사람이 살아가며 지켜야 할 도리를 사람이 정해 놓은 것이 규범이고 도덕이요, 윤리이고, 하느님이 정해 놓은 것이 사랑이요, 자비이다.

함께 잘 살기 위해 사람들이 만든 것이 윤리 도덕이라면, 하늘이 만들어 놓은 것이 사랑이다.

그러니 윤리와 도덕이 사랑과 자비에 어긋나서는 안 된다.

찡그리지 말자

얼굴은 내 것이지만, 표정은 내 것이 아니다.

내가 찡그리면, 상대방도 찡그리게 만드는 죄를 짓는 것이다.

내 마음이 편해야 내 표정이 편해지고 상대방도 편해진다.

아무리 상대방이 화를 북돋우더라도 늘 온화한 얼굴로, 웃는 얼굴로, 편안한 얼굴로 대하라.

내 마음은 내 것인즉 언제든 마음을 빼앗기지 마라. 이것만이 상대방을 이길 수 있는 유일한 길이다.

기대

① 자신에 대한 기대

자신에 대한 기대는 발전의 원동력이다.

무엇이든 가능한 한 스스로에게 의지하라.

그래야 다른 사람 위에 서서 다른 사람을 위해 베풀 수 있다.

그리고 이왕 기대할 거면 크게 하라!

기대는 기적을 낳는다.

젊은이들이여! 자신을 크게 그려라.

자신을 낮추는 사람은 그렇게 되고, 자신을 높이는 사람은 또한 그렇게 된다.

(2013.3.8)

② 타인에 대한 기대

다른 사람에 대한 기대는 실망과 분노의 원천일 뿐이다.

그러니 다른 사람에게는 기대하지 말라! 오로지 기대할 건 자신뿐이다.

다른 사람에게는 기대를 하지 않는 게 좋다.

그러면 반드시 칭찬할 일이 생긴다.

칭찬을 하면 모두가 즐거워진다.

상대방에게 기대를 하여 실망과 섭섭함을 느낄 것인가, 상대방을 칭찬하여 모두가 즐거워 질 것인가?

그것은 당신에게 달려 있는 것이다.

신세지는 것을
두려워 마라

젊은이들이여 신세지는 것을 무서워하지 마라!

대부분의 사람들은 신세지기를 싫어한다.

신세를 지다 보면 비굴해지기 쉽기 때문이다.

비굴해지기 싫은 것은 자존감을 훼손시키기 싫어서이다.

자존감이란 자기 존중의 감정이고 생존에 필요한 아주 중요한 감정

이다.

그러니 자존감을 다치면서까지 신세를 질 필요는 없는 것이다.

그렇지만 세상살이란 혼자 사는 것이 아니다. 함께 하는 것이고, 주

고받으며 사는 것이다.

줄 수만 있으면 받는 것도 떳떳한 법이다.

그러나 줄 수 없다고 생각하니 신세지기를 싫어하는 것이다.

그렇지만 젊은이들이여, 그대들은 앞날이 있지 아니한가!

생각

지금 못 주면 나중에 주면 될 것이다.

누구든지 자신감만 있으면 신세지더라도 비굴해지지 않을 수 있는 법!

문제는 자신감과 능력의 개발을 위한 노력이다.

미래의 꿈에 대한 자신감을 가지고, 그 꿈을 달성할 수 있는 능력을 꾸준히 개발할 의지만 있다면, 신세를 져도 상관없지 않을까?

크게 신세지는 놈이 크게 성공하는 법이다.

당장 취업이 안 된다고 신세지는 것을 한탄만 하지 말고, 자신감을 가져라! 그리고 노력하라! 줄 수 있도록.

떳떳이 신세지라는 말이 감사한 마음을 버리라는 말은 아님은 여러분이 더 잘 알고 있을 것이다.

감사한 마음으로 받고, 넉넉히 갚을 수 있는 자신감과 능력을 키워라.

나는 제대로 신세질 줄 아는 사람이 더 좋다. 신세지지 않으려는 사람보다.

(2012.10.14)

강한 사람

강한 사람일수록 가까이 가서 보면 약하다는 것을 알게 된다. 속을 들여다보면 강함은 약함을 가리기 위한 겉옷 같은 것일 뿐이다.

그러니 강한 자를 두려워할 필요는 없다.

다가가 그 강함을 불쌍히 여기고, 불쌍한 그를 위해 도와줄 수 있는 길을 찾아라.

고집이 센 사람도 마찬가지이다.

사람을
변화시키려면

내가 내 자신을 바꾸려 해도 안 되는데, 어찌 남을 바꿀 것인가?
나 자신을 바꾸는 것도 어려운데, 하물며 남이랴!

내 자신을 바꾸려면 무한한 노력이 필요하다.
그래도 잘 안 된다.

왜냐면 바꾸는 것은 하느님의 능력이지 나의 노력 때문이 아니기 때문이다.
그러니 나 자신을 바꾸려면 먼저 하느님께 간절히 기도해야 한다.
그리고 나서 노력을 하면 혹 하느님이 들어주실지 모른다.

하물며 다른 사람을 내 뜻대로 바꾸겠다고?

천부당만부당한 소리이다.

그러니 상대방을 바꾸려 들지 말고 그대로 받아들여라.

그리고 하느님께 상대방을 바꾸어 달라고 기도하라.

그것뿐이다.

(2013.7.7)

노느는 마음

어디에선가 우리 옛 어른들의 마음에 관한 좋은 글을 읽은 적이 있다.

그 글을 여기 다 옮기는 것은 아니고-- 사실 옮길 수 있을 만큼 기억력이 좋은 것도 아니다.-- 그 요지만 발췌하여 내 글로 제시하는 것이니, 그 내용이 조금은 각색되었을 수도 있고, 어쩜 표절 시비에 휘말릴 수도 있을지 모르겠다.

표절 운운에도 불구하고 이 이야기를 하려는 것은 요즘 세태가 너무 돈만 알고 갑질하는 세상에 되어가기 때문이다. 곧, '돈 제일주의', '갑질이 당연한 사회'를 벗어나거나 조금이나마 막아보고자 하는 숭고하고도 고결한 뜻이 숨어 있기 때문이다.

그 이야기인즉, 〈대지〉라는 소설을 쓴 펄벅 여사가 1960년에 한국에 와서 느낀 소감이라는 것인데, 요체는 두 가지이다.

마음

하나는 까치밥에 관한 것과 하루 일을 끝내고 돌아가는 농부의 행동에 관한 것이다.

우선 농부의 마음부터 살펴보자.

하루 일을 끝내고 소달구지를 끌고 집으로 돌아가는 농부의 지게에는 나뭇단이 얹혀 있더라는 것이다.

그래서 농부에게 펄벅 왈,

"아니 텅 빈 소달구지에 나뭇짐을 얹혀 놓고 타고 가면 편할 텐데 왜 그렇게 가시나이까?"

농부 왈,

"저 놈두 오늘 하루 종일 일을 혀서 고단할 텐디, 나 조금 편할라구 저 놈 더 힘들게 할 수는 없지유~."

이 말을 듣고 펄벅 여사 눈시울이 뜨거워졌다고

"아! 이 나라는 엄청 못 살아도, 함께 사는 마음이 있구나! 심지어는 동물까지도!"

동물을 아끼는 농부의 마음을 읽은 것이다.

또 다른 하나는 우리나라 사람들이 과일을 딸 때 다 따지 아니하고 몇 개씩 남겨 놓는 것을 보고 의아해 했다는 이야기이다.

"아니, 왜 과일을 다 따지 않구. 몇 개는 그냥 놔 두시나이까?"

"저건 겨울에 새들 먹으라고 일부러 남겨 놓는 거지유. 새들두 겨울

생각

에 먹어야 살지유."

우리에겐 까치밥이 당연한 이야기이지만, 국외자의 눈에는 신기한 경험이었을 것이다.

"아! 이 나라 사람들은 동물까지도 배려하는구나. 아니 우리가 굶주려도 음식은 노나 먹는 것이구나."

아마 이런 깨달음이었을 것이다.

실제로 농사를 지을 때 옛 사람들은 씨앗을 세 배로 부렸다 한다.

뿌린 씨앗 가운데 하나는 새들이 쪼아 먹게 하고, 싹이 난 두 개 중 하나는 벌레들이 먹게 하고, 나머지 하나는 사람들이 먹는다는 생각에 서란다. 새는 하늘을 대표하는 동물이고, 벌레는 땅을 대표하는 동물이며, 사람은 사람이니 하늘과 땅 사람이 서로 어울려 살아가는 지혜라는 것이다.

펄벅이 우리나라에 와서 놀란 것은 이것만이 아니다.

한국에 와보니 무지무지하게 못 사는 데—물론 한국전쟁이 끝난 후니 잘 살 수가 없는 상황이었다-- 거지가 없고 여관이 없더란다.

물론 거지가 없다는 것은 좀 과장된 말이겠으나, 지금 말하면 노숙자가 없었다는 말로 이해하면 되겠다.

그런데 이 이야기는 펄벅이 아니고 혹시 다른 사람 이야기인지도 모르겠다. 기억력이 희미해 가지구선, 에이!

아마도 어쩌면 구한말 어느 선교사가 와서 보고 신기해했던 이야기일 가능성이 높다. 그렇다면 한국전쟁 운운한 것도 잘못된 것이다.

여하튼, 여관이 없고 거지가 없었던 과거의 그 이유를 알아보자.

그것은 부자들의 마음가짐 때문이라고!

마음

곧, "노느는 마음"이 노블레스 오블리제(noblesse oblige)를 실천하는 부자들의 기본적인 소양이었던 것이다.

예컨대, 동네에서 부자들은 제사가 있는 날은 제사 음식을 동네 사람들과 노나 먹었다. 또한 결혼식이든 장례식이든 큰 일이 있을 때는 동네잔치가 열렸고, 거지든 가난한 사람이든 누구든 대접을 받고 갔고 그걸 으레 당연시했다.

또한 길가는 손이 청하면 언제든지 잠을 재워주고 식사를 대접했다. 그러니 여관이 눈에 띄지 않는 것이 당연하지 않은가!

옛 부자들의 이런 '노느는 마음'은 어찌 실종된 것인가?

왜 갑질하는 세상으로 변하였는가?

옛날 사람들의 마음으로 돌아갔음 좋겠다.

(2017. 8. 1)

부자가 되어라.

흔히 돈이 많으면 부자라 한다.

그러나 돈이 많다고 부자가 아니다.

부자는 돈과 관계가 없다.

잘 베푸는 사람이 부자이다. 베푸는 사람은 마음이 넉넉하기 때문이다.

실제로 돈이 없는 가난한 사람들 가운데 부자가 많다. 돈은 없지만, 서로 돕고 싶어 하고 그 마음을 베풀 수 있기 때문이다.

가난한 자여 복이 있느니!

가난한 자는 돈이 없는 만큼 욕심도 적고, 노늠의 미덕을 지니는 까닭이다.

마음

44

돈 많은 사람들은 베푸는 데 인색한 경우가 많다. 가진 돈과 함께 욕심도 비례하는 까닭이다.

그래서 성경 말씀에,

"부자가 천국에 들어가는 것은 낙타가 바늘구멍에 들어가는 것만큼 어렵다."

고 한 거 같다.

성경 말씀이 틀리지 않는다.

밝음아, 밝은아, 부자가 되어라! 욕심이 덕지덕지한 돈 많은 부자 말고 마음이 넉넉한 부자가 되어라.

(2020년 12월15일)

관계 II

경쟁과 협력

개인의 생활은 자생에서 출발한다.

그러기 위해 경쟁이 이루어지지만. 경쟁으로만 자생이 가능한 건 절대 아니다.

사람은 혼자만 존재하는 것이 아니기 때문이다.

사회생활의 시작점은 공생이다. 사회란 말 자체가 공생을 전제로 한다. 협력, 포용, 사랑이 공생의 요체이다.

나에 대한 사랑, 포용, 관대는 그 범위를 넓혀야 한다. 가족, 친구, 이웃. 공동체로!

경쟁과 협력은 사랑과 포용을 바탕으로 삼아 삶을 이끌어 나가는 두 바퀴이다.

생각

비교와 경쟁

1 남과 비교하지 마라. 불행의 시작이다.

오리는 학을 부러워하지 않는다.

상황은 다양하다.

상황에 맞는 재능은 오리는 물에서 토끼는 산에서 재능을 발휘할 수 있다.

재능은 누구에게나 있다.

이전의 나와 비교하라!

(2012.1.15)

2 남과 경쟁하지 마라. 다른 사람과는 경쟁이 아니라 협력이 필요한 것이다.

협력을 통해 배워라! 그리고 어제의 나와 경쟁하라!

용서할 수 있는 자격

용서란 힘 있는 자의 특권이다.
힘이 약할 때 하는 용서는 자기기만이기 쉽다.

겸손해지는 것도 힘이 있어야 한다.
힘이 없으면 비굴해지기 쉬운 법이다.

당신은 용서할 수 있는 자격이 있는가?

당신은 겸손하다고 말할 자격이 있는가?

(2012.6.15)

겸손과 교만

1 있으면서 교만하지 않음이 겸손이다.

없으면서 굴종함은 비굴이지만, 있으면서 복종함은 겸손이다.

있어도 있는 체하지 않는 것은 겸손이지만, 없어도 있는 체하는 것은 허영이다.

2 있어도 없는 체하는 건 주기 싫은 이기심 때문이고, 없어도 있는 체하는 것은 자격지심일 뿐이다.

겸손의 의미는 여기에서 찾아야 한다.

인격자는 결코 교만하지 않다.

3 낮아져야 받아들일 수 있다. 바다는 낮은 곳에 있기 때문에 강물을 받아들일 수 있는 것 아닌가!

속임

속은 사람도 문제가 있겠으나, 속인 사람이 더 나쁜 것 아닌가?

속은 사람은 무지해서 속은 것이지만, 속인 사람은 알면서 속인 것이니……

속인 사람이 속은 사람 위에 군림하는 것이 이 세상의 현실이란 말인가?

(2013.9.27)

거짓과 진실

정직은 강자의 덕목이다.

속이는 것은 약자가 하는 짓이지 강자가 할 짓이 아니다.

강한 자는 가지고 있는 진실의 힘만으로도 충분하다. 강한데 거짓말을 할 필요가 어디 있으랴?

그렇지만, 거짓말이 필요한 때도 있는 법이다.

거짓이란 쓸쓸한 진실보다 훨씬 달콤하다.

그래서 때로는 거짓말이 필요한 것이다. 받아들이기 어려운 진실은 늘 고통을 동반하고 찾아오는 법이니까.

세상을 편하게 만드는 건 때로는 진실보다 거짓이란다.

물론 불편을 넘어서는 진실을 밝혀야 할 때도 있는 것이지.

그것을 판단할 수 있는 것은 오로지 너 자신의 지혜뿐이란다.

진실이 때로는 불편할 뿐만 아니라 화를 부르는 경우도 있으니, 잘 판단해야 하느니!

비판과 비난

대부분의 진실은 거짓보다 훨씬 불편한 법.

그래서 사람들은 진실을 외면하고 싶어 한다.

그렇지만 너는 진실을 외면하지 말고, 상대방의 말에 화내지 말아라.

그것이 비판이라면 새겨들어야 하고, 비난이라면 흘려들으면 되는 것이니까.

개가 짖는다고 따라 짖을 필요는 없지 않은가!

(2013.6.7)

말의 순서

1 다음은 페친인 문병하(2013.6.23) 목사님이 페이스북에 올린
글이다.

담배를 무척 좋아하는 수도사 두 명이 있었다.

한시라도 담배를 피우지 않으면 안 될 정도로 골초였다.

그런데 기도하는 시간도 많은데 기도 중에는 담배를 피우지 못하
니 얼마나 답답하겠는가?

그래서 주교님께 청을 드려 보기로 하였다.

먼저 나이가 어린 수도사가 주교를 만나러 갔다.

그리고 주교에게 정중하게 물었다.

"주교님, 기도 중에 담배를 피워도 되겠습니까?"

주교는

"아니, 무슨 말씀을 하는 겁니까? 기도 중에 담배를 피우다니요.

물론 안 되지요!"

낙담을 하고 시무룩하게 돌아온 젊은 수도자는 다른 수도자를 보고 말했다

"기도 중에는 담배를 피울 수 없다고 합니다."

"그럼 이번에는 내가 부탁해 보지."

이번에는 나이 든 수도자가 주교를 만나고 왔는디…….

그런데 이 수도자는 주교를 만나고 온 뒤부터 기도 중에도 담배를 피우는 것이 아닌가?

그래서 젊은 수도자가 물었다.

"아니, 수사님은 어떻게 허락을 받았습니까?"

그러자 나이든 수도자가 대답했다.

"나는 주교님께, 주교님, '담배 피우는 중에 기도하는 것은 괜찮습니까?'라고 여쭈었지요.

그러자 주교께서

'아주 훌륭한 생각입니다. 언제 어디서나 늘 기도하는 것은 좋은 일입니다.' 라고 하셨습니다."

2 "여대생이 밤에 술집에 나가다니!"와 "술집 여자가 대학에 다닌다네!"는 같은 말일까요, 다른 말일까요?

같은 내용이긴 하지만, 어찌 말하느냐에 따라 상대방의 반응은 달라집니다.

무엇을 전제로 하는가에 따라 그 반응은 다른 것입니다.

생각

여대생을 전제로 한다면 술집에 나가는 것은 '못된 것'입니다만, 술집 여자가 대학을 다닌다면 '기특한 일'인 거지요.

전제에 따라 우리의 기대 가치가 다르기 때문입니다.

3 결과는 같은 것이지만, 어떻게 말하느냐에 따라 다른 반응이 나옵니다.

어떻게 말하느냐, 어떻게 생각하느냐에 따라 결과는 달라집니다.

말하거나 생각할 때에는 다시 한 번 깊이 살펴보고 해야 합니다.

시간

현재 과거 미래

현존하는 나

미래

시간의 배분

과거로부터의 탈출

현재의 나

현재를 즐겨라

꿈만 꾸다가…….

후생이가외(後生而可畏)

시간

여유

현재 과거 미래

애기들은 하루 대부분의 시간을 "현재의 나"를 위하여 소비합니다.

그러다가 점차 커가면서 과거의 시간이 늘어납니다. 그러면서 과거에 현재를 조금씩 허비하게 됩니다.

그리고 미래가 다가온다는 것을 알게 되지요. 그리고 그 미래가 또다른 나의 현재라는 것도 알게 되구요.

그리곤 미래에 대해 고민을 하기 시작합니다.

그렇지만 과거에 현재를 너무 허비하는 것도, 불확실한 미래를 너무 고민하는 것도, 결코 슬기롭지 못한 일입니다.

어둠을 탓하는 것보다는 초를 찾는 것이 훨씬 슬기로운 까닭이지요.

"과거는 해석에 따라 바뀌고, 현재는 행동에 따라 바뀌며, 미래는 결정에 따라 바뀐다."는 말이 있습니다.

생각

미래에 대한 고민을 떨쳐버리고 미래의 나를 그려보십시오!

미래는 현재의 내가 어떻게 그려내느냐에 따라 달라지는 것이니까요.

당신이 그린 대로 당신의 미래가 현재로 바뀔 뿐입니다.

그리고 과감히 부딪쳐야 합니다. 그리고 담담히 받아들여야 하지요. 미래를 앞당겨 고민할 필요는 세상 어디에도 없으니까요.

(2013.8.3)

시간

현존하는 나

미래를 준비하는 자는 미래에서 희망을 봅니다.
현재의 나와는 다른, 또 다른 나에게 기대를 하는 것이지요.

희망이 없는 것보다는 희망이 있는 것이 낫고, 기대가 없는 것보다는 기대가 있는 것이 낫습니다.
또한 준비를 안 한 자보다는 준비한 자가 나을 것입니다.

그러나 미래의 준비가 "현재의 나"를 괴롭히는 것이어서는 곤란하지 않을까요?

미래를 준비하는 것은 옳으나, 미래를 위한 준비는 즐거워야 합니다. 중요한 것은 현존하는 나이기 때문입니다.

(2013.8.9)

생각

미래

사람들은 미래가 온다는 것을 압니다.

그런데 그 미래가 또 다른 나의 현재라는 것은 망각하고 살지요.

미래는 현재의 내가 어떻게 그려내느냐에 따라 달라지는 것입니다. 당신이 그린 대로, 또는 그리지 않은 채로 당신의 미래는 그렇게 현재로 다가올 것입니다.

(2013.9.5)

"과거는 해석에 따라 바뀌고 현재는 행동에 따라 바뀌며 미래는 결정에 따라 바뀐다."는 말을 어디에선가 읽은 기억이 있습니다. 참 좋은 말이지요.

시간의 배분

현재의 나를 위하여 시간을 어떻게 배분하여야 하는 것은 매우 중요하다.

과거에 붙들려 많은 시간을 놓치는 것은 물론이지만, 미래를 위한다는 미명하에 많은 시간을 허비하는 것은 슬기롭지 못한 일이다.

존재하는 것은 "현재의 나"이기 때문이다.

과거를 생각하여 교훈을 얻는 일은 물론 중요하다.

미래에 대한 시간의 투자 역시 분명 필요하다.

그러나 여기에 얽매일 필요는 없다. 중요한 것은 현재의 내가 얼마나 즐겁게 존재하는가이다.

즐거운 시간을 가지기 위해서는 현재의 나에게 충실하여야 한다.

그리고 현재를 즐길 수 있어야 한다. 그러기 위해서는 하고 싶은 일, 하고자 하는 일, 내가 좋아하는 일을 하라.

생각

만약 그러한 일을 할 수 없는 여건이라면, 주어진 일을 즐겁게 받아들일 필요가 있다.

억지로 하는 일이라도 어차피 보내야 할 시간이라면 그동안만이라도 즐겁게 보내는 것이 좋은 것 아닌가!

긍정적으로 생각하고 적극적으로 행동하라. 그러면 조금이라도 덜 고달파 질 것이다.

어떻게든 즐거운 시간을 마련할 수 있도록 머리를 굴려 보라. 머리는 그냥 붙어 있는 게 아니다.

(2013.9.3)

시간

과거로부터의 탈출

사람들이 과거의 모든 것에 매어 사는 것은 아니다.

그 중에서도 단지 후회할 일, 추억할 일만이 "현재의 나"를 붙들고 있는 것이다.

후회할 일은 '현재의 나'에게 교훈을 주기 위하여, 추억할 일은 '현재의 나'에게 심리적인 보상을 주기 위해 존재하는 것이다.

이러한 목적을 넘어서까지 과거가 나를 잡고 있다면 과감히 벗어나라.

그리고 긍정적이고 적극적인 현재의 나를 응시하라.

(2013.9.4)

현재의 나

존재하는 것은 현재의 나입니다.

과거는 미래의 나를 위한 재료일 뿐.

그러니 과거에 너무 집착할 필요도, 너무 연연할 필요도 없습니다.

그렇다면, 당신은 현재의 나를 위하여 얼마나 시간을 보내고 있는가요?

혹시 현재의 나를 망각한 채 과거를 과소비하고 있지는 않나요?

과거를 과소비하는 것은 할 일 없는 늙은이에게나 가능한 일이지요.

그렇다고 하여 미래의 나를 위해 너무 많은 시간을 소비할 필요는 없답니다.

계속 준비만 하다가 현재는 과거가 되고 미래는 또다시 현재가 되는

시간

데, 또 다른 미래에 얽매어 계속 준비만 하는 사람도 있어서 하는 말입니다.

현재를 오로지 미래를 위해 살다가 죽게 된다면 그 사람은 얼마나 억울할까요?

(2013.7.26)

현재를 즐겨라

현재의 나를 위해 현재를 즐겨라!

지금 하고 있는 일이 운동이라면 운동을 즐겨라! 지금 하고 있는 일이 공부라면 공부를 즐겨라! 지금 하고 있는 일이 대화라면 대화를 즐겨라!

그리고 미래의 나를 위해 현재를 즐겨라!

미래의 나를 위해 하기 싫은 일을 어쩔 수 없이 해야 하는데, 어떻게 즐기냐고?

하기 싫은 일은 생각부터 "하기 싫은 일"이 아니라 "할 수 있는 일", "재미있는 일"이라고 생각하라.

(2013.9.16)

꿈만 꾸다가…….

무대에 오르지 않으면 승리를 쟁취할 수 없다.

나는 꿈만 꾸다가 기회를 놓쳤다.

꿈이 사라진 빈 곳은 무엇으로 채우나.

시와 술과 벗으로 채울 수밖에!

적극적으로 나서라. 상대방에서 나를 알아줄 때까지 기다리지 말아
라.

인생은 자신의 삶이 옳다는 걸 증명하기 위해 투쟁하는 긴 여정이
란다.

그 평가는 후대의 몫으로 남겨놓고 현재의 삶에 충실하면 되는 것
이다

생각

후생이가외(後生而可畏)

몰랐다고 부끄러워할 필요는 없습니다.

모르면서 묻지 않는 것을 부끄러워해야지요.

이 세상 모든 일이 알면 쉽고, 모르면 어려운 법입니다.

알고 모르고의 경계는 그야말로 얇은 백지 한 장 차이지만, 그것이 가져다주는 결실(예컨대, 매사에 대한 자신감과 여유)은 엄청난 차이입니다.

그리고 너무 몰라도 묻지 못합니다.

묻는다는 것은 어느 정도 알고 있는 것이므로 자신감을 가지고 다시 묻고, 배우고, 익히면 더 많은 발전이 이루어질 수 있는 것입니다.

젊은이들이 무서워지는 이유는 그들이 더 많이 알아서도 아니요, 새로운 지식을 가져서도 아닙니다.

바로 발전하는 그 기세 때문입니다.

가능성 때문이지요.

일시적 관록으로 그들을 누를 수는 있을지라도, 그 가능성 때문에 결국은 물러날 수밖에 없습니다.

그래서 후생이가외(後生而可畏)라는 말이 나온 것이고, 나이가 들수록 젊은이들이 무서워지지요.

그러나 그 가능성도 세월의 빛에 바래면 자신도 모르는 사이에 관록으로 탈바꿈되고……. 또 다른 역사란 그렇게 유전(流轉)되는 것입니다.

적어도 OOO박사는 선생님들보다 가능성이 더 있는 것입니다.

선생님들의 권위 속에는 젊음에 대한 부러움과 시샘이 숨어 있다는 것을 간과하지 마세요.

청출어람(靑出於藍)이 벽어람(碧於藍)이니 자신의 가능성을 굳게 믿고 선생님들이 깜짝 놀랄 수 있도록 성장하세요.

그것이 선생님들께 은혜를 갚는 길이라고 합디다.

　　　　　　　　　　　　　 - OOO박사에게 보낸 편지 중에서(2002.6.9)

시간

1 시간이 남아 지루하다고 하지 마십시오.

책을 보든, 나가 놀든, 낮잠을 자든 무엇이든 찾아서 하십시오.

시간은 그렇게 하찮은 것이 아닙니다.

(2013.9.4)

2 여유가 있지만 그것을 아껴두는 슬기로움도 있어야 합니다.

여유

1 시간이 없다고 투덜거리는 사람은 능력이 없는 사람이고, 할 일이 없다고 빈들거리는 사람은 바보일 뿐이다.

슬기로운 사람은 바쁨 속에서 여유를 즐길 줄 안다.

2 바쁠 때 누리는 여유가 값이 있는 것이다. 시간이 많으면 여유란 거추장스러운 것일 뿐!

자격이 있는 자만이 여유를 누릴 수 있다.

당신은 여유를 누릴 수 있는 자격이 있는가?

3 시간에 쫓기며 살지 말고, 시간을 부리며 살아라.

돈에 쫓기며 살지 말고, 돈을 부리며 살아라.

(2013.9.27)

생각

4 채근담에 나오는 말입니다.

"인생길은 멀고 아득한데, 모든 것이 완벽하기만 바란다면 온갖 번뇌로 마음이 만 갈래로 흩어지고, 자신이 처한 여건에 따라 편안하게 지낸다면 여유 있고 자유로운 삶을 누리지 못할 것도 없다."

우리 인생이 이렇습니다.

아무리 인생길이 멀고 아득하다 해도
세월은 바삐 흘러 저승길 코앞인데
여유도 누리지 못한 무지함이 섧구나!

(2017.1.17)

5 완벽하려 하지 마십시오. 부족함을 인정할 수 있을 때 비로소 여유를 누릴 수 있는 자격이 생기는 법입니다.

(2020.7.1)

소유, 무소유, 그리고 공유

소유로부터의
탈피

[1] 무엇인가 가진 것이 있어야 누릴 수 있다.

이것은 진리이다.

그러나 가진 것이 있다고 자유를 누리는 건 아니다. 자유를 누릴 수 있으려면 자격이 필요한 법이다.

움켜쥐고 있으면 결코 누릴 수 없다.

진정한 소유는 그것을 써 버려야 그 효용이 생기는 것이다.

빵을 아무리 많이 가지고 있다고 배가 부른 것은 아니지 않은가! 한 조각이라도 먹어야 소유가 보람을 느끼는 것이다.

많이 가지면 많이 누릴 수 있다?

어느 정도까지는!

생각

그러나 그 한계를 넘어서면 오히려 누리는 데 장애물로 작용한다. 그러니 누리려면 과도한 소유에서 벗어나야 한다.

소유에서 탈피할 수 있는 능력을 가진 자만이 진정한 자유를 누릴 수 있는 것 아닌가?

소유는 결코 아무나의 자유가 아니다.

② 욕심이 자유를 구속한다.

자유를 누리려면 욕심을 억제하고 통제할 줄 알아야 한다.

③ 소유는 자유롭기 위한 것에서 시작한다.

그러나 종내에는 자유를 구속한다.

식량을 소유함은 굶주림의 속박에서 벗어나기 위한 것이다. 그러나 식량이 많으면 그것을 보존하기 위해 자유가 구속된다.

가질수록 자유로워야 할 텐데 오히려 부자유스러워짐은 아이러니이다.

원래 인생은 모순덩어리이다.

소유, 무소유, 공유

소유의 나쁜 개념

내가 네게 OO을 주었다.

"이것이 네 것이냐? 내 것이냐?"

"아까는 당신 것이었으나, 이제는 내 것입니다. 그러니 내가 알아서 쓰겠습니다."

이것이 소유의 나쁜 개념이다.

"본디 내 것도 네 것도 아니었으니 하느님 뜻에 따라 쓰겠습니다."

이것이 진정한 소유의 개념이다.

소유의 효용은 쓰는데 있는 것이지 보관에 있는 것이 아니다.

생각

얼마나 많은 사람들이 소유를 오로지 보관하느라 애쓰다 저 세상
으로 가는지 모른다. 제대로 써보지는 못하고!

안타까운 일이다.

소유의 자격

소유는 구속을 동반한다.

소유의 본질이 구속인 까닭이다. 곧, 소유와 구속은 양면의 얼굴이다.

소유는 소유자를 구속한다. 빛나는 다이아 반지를 소유한 사람은 그것을 끼고 다니지 못하고 금고에 처박아 놓는다. 소유가 소유자를 구속하는 예이다.

뿐만 아니다. 소유는 피소유자를 구속하는 데에도 사용된다.

이때 많이 가지면 많이 가질수록 구속의 힘은 더 세 진다.

구속은 죄악이다. 자유로움이 본질인 까닭이다.

가진 것으로부터 나오는 구속의 힘을 억지할 수 있는 사람만이 소유의 자격이 있는 것이다.

가지면서도 구속의 힘을 제어할 수 있는 유일한 힘은 도덕에서 나온다.

그래서 도덕을 통한 인격의 수양이 필요한 법이다.

생각

소유의 문제점

1 소유의 문제점: "사슴을 쫓아갈 땐 산이 보이지 않고, 금을 얻게 되면 사람이 보이질 않는다."는 말이 있습니다.

욕심이 앞서면 욕심만 보게 되고, 멀리 내다보지 못하는 까닭이지요.

(2017.1.17)

2 돈의 힘: 못살 때는 이웃을 생각하는데, 잘 살게 되면 왜 나만 아는 것일까요?

돈이란 교만의 다른 이름이기 때문이다.

소유, 무소유, 공유

공유

내가 가지고 있는 것은 그 무엇도 내 것이 아닙니다.

우리 몸은 부모님께서 주셨고, 내가 가진 많은 지식은 수많은 선인들이 남겨 놓은 것을 선생님들로부터 받은 것일 뿐이고, 내가 먹는 밥은 어떤 농부가 땀 흘려 지어 놓은 것입니다.

내가 발전시키는 학문도 과거 학자들의 노력이 남겨 놓은 것에 나의 지혜가 덧붙여진 것에 불과합니다.

그러나 그 지혜 역시 내가 잘나 그런 거 아닙니다. 그 지혜 역시 하느님이 주신 것입니다.

이 세상 그 어떤 것도 나의 것은 없습니다.

그러니 죽어서 빈손으로 가지요.

다만 살아 있는 동안 마치 내 것인 양 착각하고는 폼 잡고 의기양양 사는 거지요. 그러면서 갑질도 하고!

생각

하느님이 주신 것을 감사히 생각하지 아니하고 마치 제 것인 양 자신만을 위해 욕심을 부리다가, 결국 그것을 잃게 되면 하느님만 원망합니다.

돈도 그렇고 재능도 그러합니다.

하느님이 주신 것은 내가 가지고 갈 수 없습니다.

하느님이 주시는 이유는 남을 위해 쓰라고, 남과 함께 쓰라고 주신 것입니다.

내가 가진 것을 노느면 하느님은 그것에 더해 기쁨까지 주십니다. 우리가 가진 것을 함께 쓰고, 노나 가질수록 기쁨은 더 커집니다.

1 소유와 무소유: 소유는 구속을 동반하지만, 줄 수가 있습니다. 무소유는 자유를 주지만, 줄 것이 없습니다.

2 무소유: 무소유는 자유를 줍니다. 조금 불편하더라도! 그렇지만 노늠의 기쁨을 주지는 못합니다.

3 공유: 공유는 소유이기도, 무소유이기도 합니다. 그래서 공유는 구속과 자유를 동시에 줄 수 있습니다. 그리고 공유는 노늘 수 있는 것이고, 그 노늠은 기쁨으로 이어질 수 있습니다.

소유, 무소유, 공유

소유와 공유의
기준

사유는 개인이 가지는 것이고 공유는 우리가 가지는 것이다.

사유냐 공유냐의 구분은 경제성에서 보는 관점과 필요성에서 보는 관점의 대립이 있다.

경제성에서 볼 때, 희소하면 사유재이고 흔하면 공유재이다.

흔히 사유냐 공유냐는 '자원의 한정성'에 따라 구분된다. 사람들은 그것이 희귀하거나 희소할수록 사유화하려 하고, 흔하면 흔할수록 관심을 쏟지 않는다.

필요성에서 볼 때에는, 생존과 큰 관련이 없으면 사유가 허용되지만, 인간의 생존에 필요하면 필요할수록 공유해야 한다.

다이아몬드나 유명 화가의 그림은 사유재이다. 이들은 많지 않고,

인간의 생존에 필수적인 것도 아니다.

물, 공기, 자유는 공유재이다. 이들은 흔하기도 하고, 생존에 필수적이기 때문이다.

사람들이 소유하려는 자원은 생존에 꼭 필요한 게 아님에도 불구하고 귀하게 여긴다. 반면에 사람들이 하찮게 여기는 것들은 생존에 꼭 필요한 것들인 경우가 많다.

이성적으로 따지자면 , 사실은 그 반대로 되어야 하는 거 아닌가?

인간이 귀하게 여기느냐 천하게 여기느냐의 기준은 자원의 희소성에 있지, 그것의 소용에 있는 게 아니기 때문이다. 아니 사람의 욕심에 있지, 필요성에 있는 게 아니기 때문이다.

참으로 아이러니한 현상이다.

그렇지만 다행인 것은 하늘은 우리들이 살아갈 수 있도록 꼭 필요한 것은 그냥 주시지만, 꼭 필요하지 않은 것들은 인간의 욕심에 방치하신다는 거다.

인간 세상은 아이러니도 많다!

소유, 무소유, 공유

소유의 미덕

내가 누린 이 시간을 노나 보지 않겠는가?

내가 책을 쓰는 이유이다.

우린 모든 것을 기지고 있다. 단지 내 소유가 아니지만, 사용할 수 있다는 점에서.

그런데 왜 그걸 누리지 못하는가?

시간도 써 먹어야 하고, 돈도 써야 하고, 아이디어도 써 먹어야 누릴 수 있는 것이다.

진정한 소유의 미덕은 노늠. 곧 공유에 있는 것이다.

노늠이란 베푸는 것이고, 베풂엔 즐거움이 따르는 법이다.

소유와 권력

[1] 권력은 자원의 희소성 여부에 따라 이동한다. 아니 인간사회에 선 희소성이 곧 권력이다.

한 남자가 마누라를 여럿 거느리고 사는 일부다처제와 한 여자가 여러 남편을 거느리는 사는 일처다부제 사이에서도 권력의 이동을 볼 수 있다.

전쟁을 통해 남자들이 많이 죽으면, 남자들 수는 적어지고 여자들 수는 많아진다.

남자들이 희소하므로 남자들에게 권력은 이동된다.

예컨대, 남자들이 부족한 까닭에 남자들이 여자를 선택할 권리가 증대된다. 이러한 사회는 남자들이 권력을 가지기 때문에 혼인 형태도 일부다처제로 이행해 나간다,

소유, 무소유, 공유

한편, 인류 역사에서 여자가 적고 남자가 많은 사회에서는 일처다부제도 볼 수 있는데, 이는 여자가 애를 낳을 수 있기 때문에 생긴 제도이다. 곧, 좀 더 우량한 종자를 퍼뜨리기 위해선 일처다부제가 유용하게 사용된다.

이런 사회에서는 여자가 남자를 선택할 수 있는--구제해 줄 수 있는--권력을 가지게 되는 것이다.

②　다이아몬드나 돈이나 지식 등 권력 자원은 희소해야 그 가치를 높일 수 있다. 그리고 그 가치가 높아야 권력이 높아진다.

예컨대, 조선 시대 쉬운 한글을 반대하고 어려운 한자를 고수해야 한다고 주장하며 세종대왕에게 반기를 든 최만리 등 당시 관료들의 속셈은 지식의 소유를 자신들에게 한정시키기 위한 것이었다.

어려운 한자를 알아야 지식을 습득할 수 있는데, 그 어렵게 얻은 지식을 자기들만이 독점해야 권력을 지속적으로 향유할 수 있는 까닭이다.

한글은 쉽다. 누구나 한글을 깨우치고 지식을 습득하여 지식에 따른 권력을 가질 수 있다.

그러니 지식의 독점자들인 당시의 관료들이 반대할 수밖에!

전문성을 내세우며 법과대학이나 의과대학 설립을 제한하는 속내는 기존의 법률가나 의사들이 지들이 가지는 권력을 보존하기 위한 것이다.

뿐만 아니다. 권위 찾는 교수가 어렵게 가르치는 것도 마찬가지 이유이다.

지식을 쉽게 쉽게 가르치면, 교수의 권력 자원인 지식은 학생에게 전달되고, 따라서 더 이상 그 교수에게 의존할 필요가 없으니 교수의 학생에 대한 권력은 사라지게 되는 까닭이다.

어려운 것은 공유하기 어렵고, 쉬운 것은 공유하기 쉽다.
희소한 것은 공유하기 어렵고, 흔한 것은 공유하기 쉽다.
그렇지만 공유하게 되면 권력의 가치는 낮아진다.

3 희소성에 따라 권력 지도는 변동된다.

국민들의 권력은 선거를 통해 대통령에게 이동한다. 선거에서 대통령으로 뽑히면 권력은 대통령에게 집중된다.

대통령은 하나이고 국민은 여럿인 까닭이다.

4 권력을 가진 자는 희소한 것을 소유하려 하고, 또 소유한다. 그리고 가진 것을 이용하여 사회제도를 지들에게 유리하게 만든다.

그렇지만 이런 것들이 생존에 필수적인 것들이 아니다. 그래서 못 가진 자들은 이러한 것들을 탐내지 않는다.

이것은 지배와 복종이 이루어지는 이유이기도 하다.

소유, 무소유, 공유

싸움의 역사

싸움이 왜 일어나는가?

싸움은 빼앗거나 빼앗기지 않기 위해 발생하는 것이다.

여야의 싸움이나 국가간 전쟁도 마찬가지이다.

1 맑스가 말하는 역사란 〈가진 자〉와 〈못 가진 자〉의 싸움이다.

〈가진 자〉들이 가진 것들은 그 자체가 싸움에서 무기가 된다.

이 무기를 사용하여 〈가진 자들〉이 〈못 가진 자들〉을 착취한다.

〈못 가진 자들〉은 빼앗기지 않기 위해, 아니 이보다는 〈가진 자〉가

되기 위해 이들과 싸운다.

이것도 역사의 한 장면이다.

2 그렇지만 잘 들여다보면, 사실은 〈가진 자들〉끼리의 싸움이 본

생각

질이다.

대부분 지배계층 간의 싸움이 본질이고, 〈못 가진 자들〉은 여기에 동원되어 그저 희생될 뿐이다.

사실 〈못 가진 자들〉끼리는 빼앗길 것이 없으니까 싸울 필요가 없는데, 〈가진 자들〉이 지들의 지배를 공고히 하기 위해 이들 사이의 싸움을 부추긴다.

이것이 역사이고, 〈가진 자들〉의 지배 전략이다.

③ 〈못 가진 자들〉은 가진 게 없는데, 빼앗을 게 없는데, 서로 싸울 이유가 없다.

그런데도 지들끼리 싸운다.

이들은 〈못 가진 자들〉이어서 **조금**의 가치가 〈가진 자들〉보다 훨씬 크기 때문에 조금 가진 것을 서로 빼앗으려고 빼앗기지 않으려고 싸운다. 감히 많이 〈가진 자들〉에게는 덤비지 못하고!

④ 세상이 평화로우려면, 〈가진 자들〉이건 〈못 가진 자들〉이건 욕심의 통제가 필요하다. 수양이 필요한 것이다.

가졌다고 죽을 때 다 가져가는 것은 아니지 않는가!

한마디로 노늠의 미덕, 공유의 미덕을 알아야 한다.

자기 삶의 필요량을 알아야 하고, 필요한 적정선에서 멈추는 사람이 현자이다.

소유, 무소유, 공유

예술가들이
가난해야만 하는 이유

예술은 무엇보다도 창의성을 필요로 한다.

창의성은 자유로부터 나온다.

예술가들이 가지게 되면 그 예술가는 자유를 잃는다. 따라서 창의성
도 잃는다.

그러니 진정한 예술가들은 무소유여야 하느니…….

예술가들은 창조자이지 소유자가 아니다.

예술가들이 죽으면 그 작품은 더 이상 창조되지 않는다. 그러면 희
소성이 높아지고, 그 값이 올라간다.

결국 그 작품의 소유자는 부자가 되지만, 예술가는 가난하다 죽는
다.

생각

책값을 싸게 받아야
하는 이유

사람들은 가치가 있다고 생각하는 만큼 물건에 값을 매긴다. 곧, 가치가 높다고 생각하면 그만큼 값이 올라간다.

그렇지만 하느님은 이 세상에서 가치가 많을수록 값을 싸게 매긴다. 우리가 살아가는데 필수적인 햇볕, 공기, 물, 자유 등은 가장 가치가 있는 것이지만 거의 공짜다.

그렇다면 내가 쓴 책은 얼마를 받아야 하나?
책값은 종이값 인쇄비 등 최저 비용만 받아야 한다. 저작권료는 거의 받지 말아야 한다.

이 세상을 이롭게 하는 책일수록, 사람들에게 필요한 책일수록 싸게

소유, 무소유, 공유

받아야 한다.

이것이 하느님을 본받는 자세 아닐까?

아무리 내가 그 책을 쓰는 데 심혈을 기울였다고 하더라도. 그 내용은 하느님이 나를 통하여 말씀하신 것이므로 본디 내 것이 아니니까 더 더욱이 하느님 뜻대로 책값을 매겨야 하는 것 아닐까?

생활

일상 I

쏭쏭이 태어나던 날

2018년 3월 15일 오후 3시 반.

TV에서는 중국과 우리나라의 컬링 경기가 한창이었다.

경기가 끝날 무렵 전화기를 들여다보니 밝음이에게 전화가 왔었다.

전화를 하니

"쏭쏭이가 오늘 태어났어요."

"언제?"

"조금 전요."

시계를 보니 3시 반이다.

"축하한다."

집사람은 시장에 가고 없다.

전화를 끊고 나니 기쁨이 가슴 속 저 밑에서부터 끓어오른다.

가슴이 벅차진다.

그리고 갑자기 노래가 흥얼거려진다.

"기쁘다 구주 오셨네. 만백성 맞으라~아, 아~~아~아"

평소 성경 구절 하나도 제대로 못 외우는 주제에 찬송가가 흘러나오다니.

기적이 일어난 것이다.

아마도 쏭쏭이는 이 세상을 구할 구세주인 모양이다.

이런 노래가 저절로 흘러나오니…….

(2018.3.20)

내 예술 세계에 간섭을 하지 말아요!

밤새 비도 오고 바람도 세차게 불었다.

아침에도 비가 온다는 예보였지만, 밖을 보니 날이 점점 개여 간다.

차를 몰고 달맞이길로 간다. 해운대에서 송정 넘어가는 길이다.

세찬 비바람에도 불구하고 벚꽃 잎은 그렇게 많이 떨어지진 않았다.

차를 몰고 벚꽃 터널을 지나며 동영상을 찍는다.

운 좋게 주차구역에 차를 세우고, 마누라 손을 잡고 꽃길을 걷는다.

요 때가 아니면 언제 마누라랑 꽃길을 걸을 수 있을 텐가!

사람들은 전화기를 아래위로 들이대며 사진을 찍는다.

슬슬 걸어가며 찾아온 봄을 즐기는 듯하지만 어디서 어떻게 사진을 찍을까 궁리하느라 머리는 바쁘다.

마누라가 "여기서 요렇게 찍어요."라고

말한다.

　전화기로 구도를 잡아보다가 그만 둔다.

　마누라 "왜 안 찍는가?" 묻는다.

　마누라 실망할까봐, 차마 "구도가 안 좋아요."
라는 소리는 못한다.

　그래서 기껏 한다는 말이

　"내 예술 세계에 간섭을 하지 말아요!"

(2021.3.25)

풍요 속의
빈곤

요즘 날씨가 심상치 않다.

부산, 특히 내가 살고 있는 이 집은 여름엔 시원하고, 겨울엔 따뜻
하여 냉난방이 거의 필요 없는 집이다. 실제로 지금까지 여름에 에어컨
을 켜본 적이 거의 없다. 장마 때 습도가 높으면 한두 번 틀었을까, 그
기억도 가물가물하다.

그런데 올 들어서 날씨가 매우 무더워졌다.

30도가 넘는 더위에 습도마저 엄청 높아 에어컨을 켜지 않을 수 없
게 된 것이다.

그러나 에어컨이 옛것이라서 누진될 경우의 전기세가 걱정이 된다.

그래서 집사람이 생각해 낸 것이 센텀에 있는 신세계나 롯데백화점
으로의 피신이었다.

열 시쯤 나가면 점심은 사먹어야 하니 더위에 점심 차릴 걱정을 안

해도 되고, 백화점 이곳저곳을 쏘다니며 시원한 데서 산보하는 것은 운동도 되고 또 눈요기도 되며, 그러다 보면 꼭 필요한 그렇지만 값이 싼 물건도 발견하게 되니 얼마나 좋은 것이냐는 마누라의 주장이 일리가 있는 듯하여 집을 나선 것이다.

난 쇼핑에는 관심이 없으니 다리만 아프고 피곤하기만 하고 그래서 안 따라 나서려 했으나, 그러다간 점심도 잘못하면 굶게 생겼고, 마누라 돌아다니는 동안 책방에 앉아 좋은 책이나 골라 읽으면 될 것이라는 꾐에 빠져 따라나선 것이다.

오늘은 좀 일러 10시가 못되어 백화점에 도착했다.

센텀 전철역 앞 백화점 입구에는 더위를 피해 몰려 온 사람들이 분수대 앞에서 백화점 문이 열릴 때를 학수고대 기다리고 있다.

정각 10시가 되자 백화점 문이 열린다. 사람들이 우르르 몰려 들어간다.

신세계 백화점에서 3층으로 올라가 마누라와 헤어진다. 물론 12시에 00음식점에서 만나기로 굳게 약속은 해 놓았다.

백화점과 쇼핑몰을 잇는 고가다리를 건너 몰로 간다.

쇼핑몰에서 에스컬레이터로 몇 번인가 내려가면 지하에 '반디'라는 대형 서점이 있다.

이 서점 저쪽 제일 뒤편엔 계단식으로 만든 책꽂이에 책을 꽂아 놓고 그 뒤쪽으로는 의자를 놓아 거기 앉아서 책을 읽을 수 있도록 만들어 놓았다. 곧, 책꽂이 위쪽을 책상으로 활용할 수 있도록 해 놓았는데, 물론 전기스탠드가 있고, 머리 꼭대기 위로부터 강력한 에어컨 바람이 나오니 책읽기에는 안성맞춤이다.

일상

참 훌륭한 시설이다.

이런 훌륭한 시설들을 사람들이 그대로 놓아둘 리 없다. 10시에서 조금만 늦으면, 아니 1분만 늦어도 꽉 찬다.

벌써 빈자리가 없다.

이것도 부지런해야 차지할 수 있는 것이다. 여기에 앉지 못하면 서가 앞에서 쭈그리고 앉아 있어야 한다.

오늘은 비교적 일찍 온 셈이라 간신히 자리를 차지하고 앉았는데, 자꾸 왼쪽 어깨가 시리다.

고개를 들어보니 에어컨 바람이 그 강력한 시베리아 찬바람이 왼쪽 어깨에 집중적으로 쏟아지고 있는 것이다. 어쩐지 이 자리가 비었더라니…….

그렇지만 이나마 다른 사람들에게 뺏길세라 일단 자리 잡았다는 것을 표시하기 위해 읽지도 않는 책을 떠억 펴서 올려놓고는 내가 보고자 하는 책들을 사냥하러 나선다.

기행문들이 쌓여 있는 곳에서 이것저것 들춰본다. 한두 페이지 읽다가 도로 내려놓는다. 이제 수필집들이 모여 있는 서가에서 이것저것 뽑아들고 들여다본다. 그리곤 제자리에 공손히 끼어 넣는다. 내 취향에 맞지 않기 때문이다.

내가 책을 고르는 기준은 두 가지이다.

하나는 재미가 있어야 한다는 것이고, 또 다른 하나는 유익해야 한다는 것이다.

이 두 가지 요건을 충족시켜주는

책이 정말 좋은 책이라 생각하는데, 물론 이 두 가지를 다 충족시켜주는 책을 발견하는 것은 요즘 공해가 뿌옇게 물든 하늘에서 초롱초롱한 별을 따는 것만큼이나 어렵다.

그렇지만 둘 중 하나라도 기준을 충족시켜주는 책이 있으면 그날은 행복한 날이다. 아니 며칠 동안은 행복한 날이 된다. 왜냐면 내일, 모레, 글피 그 책을 다 읽을 때까지 행복하기 때문이다.

그렇지만 현실은 녹녹치 않다.

이 두 가지 요건을 전혀 갖추지 못한 책들이 너무나 많기 때문이다. 재미도 없고, 뭐 교훈이 되거나 배움도 되지 않는 그런 내용의 책들이 너무 많으니까.

이 두 가지 요건 중 한 가지만이라도 충족시킬 수 있는 책을 발견하려면 엄청 노력해야 한다.

내가 며칠 동안 이 책방에 출근하여 이 책 저 책 헌팅을 해 보았지만, 매번 실패였다.

이렇게 읽을 책이 없다니!

풍요 속의 빈곤이다. 사냥감은 많은데, 잡아보면 별로 먹을 게 없는 것이다.

그렇지만 헌팅을 하는 동안은 운동도 되고 시원하기도 하니 책방 순례를 안 할 수가 없는 것이다.

물론 여기에서 운동이 된다고 하니 뭐 거창하게 육체미를 뽐낼 수 있는 그런 운동은 아니고, 주로 약간의 걷기와 손가락 운동과 눈동자 굴리기 운동이긴 하지만.

서가에서 그럴듯한 책을 찾아 뽑아들고 페이지를 넘기고 목차를 훑

일상

어보고 내용들 가운데 쓸 만한 구절이라도 있는가를 대충 스캔하는 것이 요런 운동이 되는 것이다.

옛날에는 내가 부족해서 그런지, 책방에 가면 아무 책이든 읽을 만했는데, 요즘은 전혀 그렇지 않다. 내 머리에 뭔가 쓸데없는 것들이 꽉 차 있어서 그런지, 아니면 그동안 살아오면서 내 지식 수준이 월등 높아져서 그런지, 영 맘에 드는 책을 고를 수 없다.

옛날에 비하면 책은 엄청 많아졌는데, 너무 많아서 좋은 책을 고르는 게 보통 고역이 아니다.

물론 신문 서평난의 책 소개를 읽고 관심이 가는 책을 셀폰에 기억하게 해 놓고, 그 책을 찾아 물어물어 그 책을 뽑아 들어도 소개한 만큼 감흥을 주지 못하는 경우가 열에 아홉이다.

사실 지난번에도, 서점에 오기 훨씬 전에, 서평만 보고 순진하게 그냥 인터넷으로 주문을 했는데, 배달된 책을 받아 읽어보니 전혀 기대에 못 미쳤던 경험이 있다.

이런 경험 때문에 이제부터는 일단 서점에서 책을 조금 읽어보고 나서 살 것인지 말 것인지를 결정하는 현명한 행동을 하기로 한 것이다.

그런데 실제로 해보니 열에 아홉은 책 살 필요를 전혀 느끼지 않게 해준다는 것이 솔직한 내 경험이다. 시원한 건 좋다만!

어찌되었든 책을 고르는 것이 보통 어려운 일이 아니다.

미술관 큐레이터처럼 책을 읽고 제대로 소개해주는 전문직이 있었으면 좋겠다는 생각이 든다. 분야별 전문 사서가 독자와 상담을 통해 독자가 원하는 책을 골라줄 필요가 있는 것이다.

(2017.8.28)

생활

비워야 채울 수 있다.

엊그제 H 교수를 만났다. 이런 저런 이야기 끝에 H 교수 왈,

"며칠 전 가지고 있던 책들을 모두 버렸어요. 앞으로 해야 할 강의는 새 책을 사서 하려구요. 버리지 못하고 가지고 있으면서 옛날 책들만 보면 새로운 지식을 채울 수 없다는 생각이 들어서요. 세상은 확확 변하는데, 구닥다리로 남아 있어선 안 되겠다 싶어 과감히 모두 처분했지요."

듣고 보니 신선한 말이다."버려야 채울 수 있다"는 것은 이런 때 하는 말 아닌가!

사람들은 생각이나 물건이나 자기가 가지고 있는 것에 집착하는 경향이 강하다. 그래서 버리지 못한다. 버려야 채울 수 있는 것을!

사람들은 "버려야 채울 수 있다."는 것을 모르지는 않는다. 다만 고루한 집착이 욕심이 이를 방해할 뿐이다.

일상

"깨달으면 행해야 한다."는 것도 모르지는 않는다. 그러나 집착과 욕심이 용기를 막아설 뿐이다.

이를 볼 때, 깨닫고 과감히 실천에 옮긴 H 교수는 얼마나 훌륭한가! 이런 분이 있는 한 대학은 새로워지고 발전할 것이다.

(2013.6.15)

비움과 사랑

살다보면 도사들을 만나게 됩니다.

내가 살아왔던 60 평생 가운데 난 두 명의 도사를 만났습니다.

하나는 우리 집사람인데, 그녀는 모든 것을 품어줍니다. 나뿐만 아니라 세상 모든 것을 품어줍니다. 흔히들 오지랖이 넓다는 표현을 쓰지만 정말 그런 사람을 만나기란 쉽지 않습니다.

무엇이든 품어주려면 무엇보다도 자신을 비워야 합니다.

그렇지만 대부분의 사람은 그러지 못합니다. 자신의 욕심, 의견, 그리고 무엇인지 모를 '나'라는 것으로 꽉 채워져 있습니다. 나부터도 그러하니까요.

허(虛)한 듯 공(空)한 것이 있어야 하는데, 그래야 남을 품어줄 수 있는 것인데 그것이 없습니다.

조금은 어리숙하기도 하고 모자란 듯 꽉 차 있는 것 그것이 허

(虛)이고 공(空)입니다.

　그렇다고 집사람이 자신의 의견이나 견해가 없는 것은 아닙니다.

　그렇지만 절대적인 것은 없다는 듯 일단 상대방을 받아들입니다.

　혹자는 그것을 '아량'이라 표현하기도 하지만 그것은 결코 아량이 아닙니다. 그냥 무심한 듯 물 흐르듯 그냥 받아들일 뿐이지요.

　물이 흐르는 것이 도(道)이듯, 공(空)하고 허(虛)한 가운데 사랑으로 꽉 차 있는 것, 그런 경지에 오른 사람이 도인이고 도사 아닌가요?

　결국 기독교에서의 사랑이나 부처님의 자비나 도사의 공(空)은 본질이 비움에 있고, 그 비움은 사랑으로 차 있는 채 비어 있는 것입니다.

　그런 점에서 이들이 말하는 것은 모두 같은 것 아닐까요?

(2014.8.8)

나는 기록한다,
시간을!

우린 가진 것이 없어 누리지 못한다고 한다.

정말 그런가? 공기, 시간, 자연의 아름다움, 그리고 망상이라 해도 좋은 나만의 상상, 이 모든 것이 내가 가진 것 아니던가?

그렇지만 이런 것을 누구나 소유하고 있지만, 이를 제대로 사용하지는 못 하고 있다.

자기가 기지고 있다는 걸 망각하고 살기 때문이다.
가지고는 있되 누릴 생각을 안 하는 것이다.

내가 가지고 있는 이런 건 써먹어야 그 효용이 있는 법인데 아예

쓸 생각조차 못하는 바보가 어디 한둘인가!

쓰지 않으면 똥 된다. 만고불변의 진리이다.

내가 가지고 있으면서 쓰지 않으면 시간은 흘러가 버린다.

예컨대, 내가 가서 보지 않으면 볼 수 없다. 자연은 변화한다. 아름다움도 그 때에만 존재한다.

기발한 아이디어도 그때에만 존재하고 곧 사라진다.

그래서 나는 기록한다. 시간을!

편지

O 선생님께

볼 일이 있어 대전에 내려 다녀와서야 선생님 상(喪) 당하셨다는 소식 들었습니다.

선생님 건강도 좋지 않으신데 큰 일 치르시느라 얼마나 힘드셨을까 생각하니, 달려가서 조금이라도 위로 드리지 못한 일 죄송한 마음 금(禁)할 길 없습니다.

어제 상격하자마자 찾아뵈려고 전화 드렸더니 "정신없이 피곤하니 오지 말라."는 선생님 말씀 듣고, 선생님께서 쉬셔야 하는데 전화로 방해나 한 것이 아닌지 생각하며 붓을 들었습니다.

선생님, 어머님을 잃으신 그 슬픔이야 어이 이루 다 말로 표현할 수 있겠습니까?

다시는 그 분을 뵙지도 못한다고 생각할 때 가
슴이 무너지는 듯한 그 심정을 어찌 저의 하찮은
글로 위로드릴 수 있을까요?

그러나 어리석은 저의 생각이 조금이나마 선생
님 가족들에게 힘이 되길 바라면서 저의 생각을 전해 드립니다.

저의 소박한 믿음으로는, 어머님이 선생님 곁을 아주 떠나신 것이
아닙니다.

선생님 자당(慈堂)께서는 불교에 귀의(歸依)하셨고, 선생님께서는
기독교(基督教)에 독실(篤實)하시니, 아무런 종교도 가지지 않은 저보
다 더욱 잘 아시리라 생각되어 이런 말씀드리기가 송구스럽습니다만,
제 생각으로는 그 분이 비록 이승을 뒤로 하셨으나, 돌아가신 것이
아니라 영원한 생명을 얻으신 것으로 받아들여진답니다.

무릇 이 세상에는 변화하는 것과 변하지 않는 것의 두 가지 종류
가 있습니다.

변화하는 것은 시시각각(時時刻刻) 변화하므로 그것은 원래 없는
것입니다.

그러나 변화하지 아니하는 것은 변화하지 아니하므로 그 자체가
영원히 존재하는 것이라고 생각합니다.

선생님 어렸을 때 개구쟁이 친구들과 찍은 사진을 보면, 아마도
많은 사람들이 그 친구들 가운데서 누가 선생님 어렸을 때 모습인지

찾아 낼 수 있을 것입니다.

어렸을 적의 선생님과는 몸무게나 키 등이 전혀 달라졌는데도 불구하고 말입니다.

옛날의 선생님과 지금의 선생님은 생각하는 사고방식도 다르고 희로애락에 대한 느낌도 다를 것입니다.

이와 같이 우리의 몸과 마음까지도 시간이 흐를수록 바뀝니다.

그러나 어렸을 적의 선생님과 지금의 선생님과를 동일시(同一視)할 수 있는 그 무엇이 있기 때문에 우리가 똑같은 선생님으로 인지하는 것이 아닐까요?

다시 말해서, 변화하지 않는 그 무엇은 우리가 육체를 받아 태어나기 이전에나, 현세에서나, 우리가 죽은 다음에도 역시 변화하지 않고 영원히 존재하리라고 봅니다.

그것을 천주교나 기독교에서는 영원히 존재하는 생명 곧 줄여서 '영생(永生)'이라 하고, 불가에서는 '불성(佛性)'이라 하는가 봅니다.

그것은 곧 영원히 존재하는 하느님의 일부이자 그 자체겠지요.

우리의 육체나 정신은 '영원한 생명'을 걸 두르고 있는 변화하는 것으로서 단지 우리의 감각기관에 현상(現象)으로 비쳐질 따름이지 영원히 있는 것이 아닙니다.

그것은 실상(實相)이 아닙니다.

그것은 원래가 없는 것입니다.

영혼이 깃든 우리의 육체란 원래 없는 데서 왔다가 없는 데로 가는 것입니다.

그것은 당연한 것입니다.

그것을 그렇게 슬퍼해야 할 이유는 없다고 봅니다.

다만 그럼에도 우리가 슬퍼하는 것은 우리가 이승에서 변화하는 것만이 정말로 존재하는 것이라는 어리석은 믿음 때문입니다.

그러한 헛믿음 때문에 사람은 삶과 죽음을 즐거워하기도 하고 슬퍼하기도 하며 괴로워하기도 하는 것입니다.

그러나 이러한 어리석은 헛믿음 속에서 우리가 정말로 괴로워하고 슬퍼하는 것 또한 우리 인간 세계에선 가장 아름다운 일이 아닐까요?

그리고 또한 가장 인간다운 것이겠지요.

선생님 실컷 우세요. 슬퍼하세요.

그럼으로써 선생님께서는 영원한 생명의 가치를 더더욱 알 수 있게 될 것입니다.

그럼으로써 선생님은 형체로서의 어머님이 아닌 실상(實相)으로서의 어머님이 함께 계신다는 것을 굳게 믿게 될 것입니다.

예나 지금이나 그리고 앞으로도 선생님 어머님은 영원히 선생님 옆에서 선생님을 즐거운 마음으로 지켜주고 계십니다.

선생님,

선생님이 어렸을 때 느꼈던 자애로운 어머님, 그 어머님은 지금도 변치 않고 영원히 생존해 계십니다.

원래 없었던 그 분의 형체는, 이승에서 있는 것으로 비쳤다가 원래 없는 데로 돌아갔을 따름입니다.

그 분의 영원한 생명을 보지 아니하고 그것을 둘러싼 형체로서의 어머님에 너무 얽매이지 않으시기를 바랍니다.

생활

하느님을 믿으시는 선생님은 항상 영생(永生)으로서의 선생님 어머님과 주님과 늘 함께 하실 것입니다.

멀리서 선생님 어머님 명복을 빌면서

1993년 8월 18일
송근원 올림

얼마 안 되는 조의금(弔意金) 동봉(同封)합니다.

선생님, 남은 가족들 위해서, 그리고 저희 후학(後學)들을 위해서라도 푹 쉬시고 건강 회복하시길 빕니다.

주례사

결혼이란 사랑을 하기 위해서 하는 겁니다.

왜 사랑을 합니까?

그것은 서로 즐겁게 살기 위해서 하는 겁니다.

사랑은 마음을 즐겁게 해 주는 묘약입니다.

오늘부터 이 두 사람은 서로 아내와 남편이 되었습니다.

결혼은 "너"와 "내"가 결합하여 "우리"가 되는 것입니다.

따라서 이제부터는 "나"에 앞서 늘 "우리"를 생각하여야 합니다.

아내는 남편을 생각하고 남편은 아내를 생각해야 합니다.

아내와 남편으로 이루어 진 가정이란 곳은 항상 즐거워야 합니다.

짜증나는 곳이 결코 아닙니다.

우리는 이 세상을 즐겁게 살기 위해서 태어났습니다.

가정이 늘 즐거운 곳이 되기 위해서는, 부부가 즐겁게 살기 위해서는 부부 서로 믿음이 있어야 합니다. 남편이 아내를 믿고 아내가 남편을 믿어야 합니다.

서로 믿으면 믿을수록 좋습니다.

소위, 믿는 도끼에 발등 찍힌다는 말이 있습니다만, 결코 믿는 도끼에는 발등 찍히지 않습니다.

그것은 제가 보장합니다.

예컨대, 사기꾼도 자신을 믿고 따르는 사람에게는 사기를 치지 않습니다. 자기를 믿고 따르는 사람은 속이기가 쉬운 법인데도 불구하고 결코 속이지 않습니다.

이것이 바로 믿음의 힘이요, 사랑의 힘입니다.

부부는 서로 믿어야 합니다.

부부간의 믿음은 아무리 깊게 믿어도 좋습니다.

믿고 있는데 배신당한다는 것은 거짓말입니다.

그것은 믿음이 모자라거나, 믿고 있어도 믿고 있다는 것을 말이나 태도로 나타내지 못하였거나, 믿기는 하지만 상대방의 인격의 자유를 이쪽이 생각하는 틀에 맞추어 얽어매려 한 경우일 겁니다.

신랑과 신부는 각각, 적어도 20여 년 이상씩 다른 곳에서 생활을 해 왔습니다.

곧, 성장 환경이 다르고, 생활 배경이 다릅니다.

따라서 두 사람 사이에는 여러 가지로 의견의 차이가 있을 수 있습니다.

이러한 차이를 억지로 자기의 틀에 맞추어 얽어매려 해서는 안 됩니다.

사람의 인격은 자유를 좋아합니다.

결혼하여 '우리'가 되었다고 서로를 너무나 구속해서는 안 됩니다.

자기의 자유를 묶으려고 들면 남편이든 아내든 도망가고 싶어지는 것입니다.

부부간의 의견 차이는 결코 나쁜 것이 아닙니다.

그것은 당연한 것입니다.

오히려 부부간의 차이란 사랑으로 이루어진 가정에서는 정말로 귀중한 것입니다.

왜냐하면 남편과 아내의, 서로간의 사랑과 믿음만 굳건하다면, 이러한 차이는 가성의 발전과 조화를 가능하게 해 주는 재료이자 활력소가 될 수 있기 때문입니다.

다시 말해서, 부부는 서로가 다르기 때문에 조화가 가능한 것입니다.

그렇다고 아내와 남편 중 어느 하나가 자기 자신을 포기하라는 것은 아닙니다.

서로 믿음을 통하여, 서로 이해하고, 서로를 인정하고, 존중하고, 사랑으로 받아들인다면, 그 가정은 행복과 발전이 있을 것입니다.

즐거운 가정을 위해서는, 부부간의 믿음에 덧붙여 서로 칭찬을 할 줄 알아야 합니다.

그리고 서로 존경을 표시해야 합니다.

사랑을 표시해야 합니다.

믿음과 마찬가지로, 표현되지 않은 칭찬이나, 존경이나 사랑은 가치가 반으로 줄어듭니다.

생활

존경과 사랑과 칭찬은 즐거움을 가져다줍니다.

칭찬 받는 사람이 즐거워하는 것은 말할 것도 없습니다.

칭찬하는 사람도 상대를 칭찬하는 사이에 저절로 즐거워집니다.

상대방이 즐거우면 나도 즐겁습니다. 왜냐면 마음은 전염이 되기 때문입니다.

즐겁게 노는 사람들 옆에 가면 나도 모르게 즐거워집니다. 슬퍼하는 사람 옆에 가면 나도 모르게 슬퍼집니다.

이와 같이 마음은 전염이 잘 됩니다.

전혀 모르는 사람의 마음도 전염이 되는데, 하물며 부부의 마음이란 말할 것도 없습니다.

부부라고 하는 것은 서로가 서로에게 가장 많은 영향을 미치는 사이입니다.

지금까지는 부모의 영향이나, 스승 또는, 친구의 영향을 많이 받으면서 살아 왔습니다.

그러나 이제부터는, 남편은 아내의 영향을, 아내는 남편의 영향을 가장 많이 받게 됩니다.

아니 영향만 받는 것이 아닙니다.

남편은 아내에게, 아내는 남편에게 가장 많은 영향을 줍니다.

아내가 즐거워하면 남편은 저절로 기분이 좋아집니다. 남편이 기뻐하면, 자기도 모르는 사이에 아내의 마음도 즐거워집니다.

즐거운 가정이 되기 위해서는 즐거운 마음을 가질 필요가 있습니다.

괴로운 일이나 짜증나는 일이 있다고 하여 얼굴을 찌푸린다면, 그것은 곧 상대방에게 전염이 됩니다.

아내가 짜증을 내면 남편이 괴로워집니다.

마찬가지로, 남편이 신경질을 내면 아내도 찌푸립니다.

괴로운 일이나 짜증나는 일이 있다면, 신나는 음악을 듣거나 코미디를 보고서라도 마음을 즐겁게 만들 필요가 있습니다.

그러고 나서 남편을 대하고 아내를 대하기 바랍니다.

남편이 항상 싱글싱글 웃으면서, 기쁜 마음을 가지고, 아내를 볼 때마다 포근히 안아 주고 싶어 한다면, 그리고 아내가 남편이 일찍 들어오거나 늦게 들어오거나 남편만 보면 너무너무 좋아서 깡충깡충 뛴다면, 가정은 늘 즐거운 곳이 됩니다.

사람은 자기를 좋아하는 사람을 좋아합니다.

아내가 남편을 좋아할 때 남편은 아내를 사랑하게 됩니다. 남편이 아내를 사랑할 때 아내도 남편을 존경하는 것입니다.

또한, 아내와 남편은 칭찬을 통해서 서로의 장점을 보게 되고, 서로 존경하게 되며, 감사의 마음을 가지게 됩니다.

서로의 장점을 찾아내고 확인하는 것만큼 기쁜 일은 없습니다.

그러나 세상에는 이렇게 기쁜 일에 인색한 사람들이 많습니다.

그것은 칭찬과 사랑의 효력에 대하여 잘 모르기 때문입니다.

아내나 남편이나 서로 즐거운 일에 결코 인색하거나 사양할 필요가 없습니다.

앞으로 한 평생을 같이 살면서 부부간에 서로 칭찬을 아끼지 말기 바랍니다.

뿐만 아니라, 칭찬을 하게 되면 그 칭찬과 같이 좋은 점이 자꾸자

생활

꾸 늘어납니다.

그래서 부부간에는 아첨을 한다고 해도 결코 나쁘지 않습니다.

아무리 아첨을 해도 좋은 것입니다.

왜냐면 다른 사람이 보지 않습니다.

사랑하는 마음으로 칭찬과 존경을 표시한다면, 표시하는 대로, 그리고 표현하는 만큼, 그 효과가 나타납니다.

끝으로 당부하고 싶은 것은 늘 감사하는 마음을 가지고 기도하며 살아가는 것입니다.

남편은 아내에게, 아내는 남편에게 늘 감사해야 합니다.

그리고 남편은 아내를 위해서, 아내는 남편을 위해서 성심껏 기도하십시오.

기도하는 대로 이루어집니다.

예수님께 해도 좋고, 부처님께 해도 좋고, 조상 할아버지께 해도 좋습니다.

매일 잠들기 전에 서로를 위하여 기도할 것을 당부합니다.

오늘 결혼식에 참석하신 하객 여러분, 우리 함께 이 젊은 부부의 앞날을 축복해 줍시다.

축하해 줍시다.

늘 행복하고 즐겁게 살 수 있도록 기원합시다.

정OO 군 결혼식에서

1992년 1월 12일 15시 마산 공작예식장

일상

유럽에서 볼 만한 것

유럽 대륙은 대부분 구릉지대이다.

자연 경치는 스위스 빼 놓고는 크게 볼만한 것이 없다.

물론 교회와 궁전 등 중세 시대의 거창한 건물들, 그리고 흔히 이야기하는 박물관 속에 있는 숱한 보물들도 볼 수 있는 것 아니냐고 말들하지만 이런 데는 별 감흥이 없다.

커다란 교회와 궁전 등을 보면 "그 옛날 저렇게 거창하게 짓기 위해 백성들이 얼마나 피 땀을 흘렸을까?"라는 생각밖에 안 든다.

이걸 보면 우리나라 궁전은 이들에 비하면 초라하긴 하지만 인본주의적이다. 임금이 백성을 생각하고 절제된 생활이 눈에 보이는 듯하다. 우리나라의 왕들은 참 훌륭한 왕들이다.

유럽의 궁전이나 우리나라 궁전이나 결국 궁전도 집이지 뭐!

사람 사는 집이란 다를 게 없다.

생활

유럽의 거창한 궁전이라 해도 잘 꾸며놓은 오늘날의 부잣집만도 못한 것을!

유럽의 교회? 역시 거창하다. 역시 볼 만하다고 한다. 우리나라 여행이 절 구경이라면, 유럽 여행은 교회 구경이라고 할 수 있다. 교회가 생활의 중심이었으니까!

모든 일상생활, 태어나서 죽을 때까지 모든 것이 교회에서 이루어졌으니, 유럽의 교회들은 한 번쯤 방문해 볼 만하다.

교회에서 세례를 받고, 교회에서 결혼도 하고, 죽어서는 교회 무덤에 묻힌다. 장사도, 재판도 교회 앞에서 이루어졌기에 교회를 방문하면 옛 유럽인들의 생활을 엿볼 수 있기는 하다.

때로는 운이 좋으면 교회 안에 보관된 왕관 등 보물들을 볼 수도 있다.

그러나 유럽 대륙의 교회들은 대개 비슷비슷하다. 엄청 크고 위압적이지만, 음침하다. 컴컴하고 으스스하고 바닥에는 유명한 사람들의 시신이 묻혀 있고, 저 앞쪽으로는 금으로 도금한 어울리지 않는 울긋불긋한 색깔의 병풍 같은 것이 둘러 있는 그 앞에 제단이 있고, 벽으로는 여러 개의 방들이 있는데, 거기엔 십자가에 못 박힌 예수상 등 조각들이 있고, 높은 창문들은 울긋불긋 스테인 글라스로 치장되어 있는 등 비슷비슷하다.

유럽 대륙의 교회는 그 내부가 별로 아름답지는 못하다. 특히 유대교의 교회당인 시나고그나 이슬람의 교회당인 모스크에 비교해볼 때 더더욱 그렇다.

시나고그의 내부는 정말 화려하다. 대부분의 모스크 역시 그 내부는

일상

밝고 환하고 정말 아름답게 치장되어 있다.

다만 북유럽, 노르웨이나 스웨덴의 교회는 유럽대륙의 교회와는 달리 자그마하고 그 외양이 정말 아름답다.

물론 내부는 검박하고 컴컴하기는 마찬가지이지만.

한편 유럽 여행에서 박물관을 볼 만하다고 주장하는 사람들도 있다. 런던의 영국 박물관이나 파리의 루블 박물관, 마드리드의 프라도 미술관, 베를린의 페르가몬 박물관, 상트 페테르부르크의 에르미타주 박물관 등등 유명한 박물관들이 많이 있기 때문이다.

이러한 박물관엔 보물들이 많으니 볼 만하지 않느냐고 한다.

그렇지만 박물관 속에 안지되어 있는 숱한 보물들은 저들의 것이 아니고 전부 총칼을 들고 아시아와 아프리카에서 빼앗아 온 것들뿐이다.

물론 그 보물들을 빼앗아 오기 위해 사용한 총, 칼, 대포, 갑옷 따위의 무기들이 제일 먼저 관람자들을 압도하기는 하지만!

박물관 안의 이렇게 빼앗아온 보물들 말고도, 오로지 저들의 것들을 찾으려면 수많은 미술품들이 있다. 유명한 화가들이 그린 그림이나 조각들은 그런 대로 보아줄 만하다. 하지만 이런 것들을 볼 때에는 단단히 각오를 하지 않으면 안 된다,

미리 작품이나 화가들에 대해 공부도 하여야 하고--그렇지만 공부 좋아하는 사람 어디 있냐?--설령 이런 공부를 열심히 하였다고 하더라도--아마 미술사가나 미술 전문가밖에 없을 거다--그 많은 작품들을 감상하려면 당연히 다리도 아프고 배도 고프게 된다.

그리고 이러한 작품들 가운데에는 아름다운 것이 전혀 없는 것은 아니지만, 다리 아픔과 배고픔을 참아낼 만큼

생활

아름다운 것은 글쎄?

이보다는 창가에 매달린 화분의 꽃들로 아기자기하고 예쁘게 꾸며 놓은 집들, 그리고 거기서 만난 사람들--천사들--에 대한 기억이 훨씬 아름답다.

성곽 안의 옛 도시들 속에서 살아가는 저들의 모습들이 주변의 집들과 어울려 볼 만하지 않은가!

물론 북으로 가면 경치는 전혀 달라진다.

노르웨이의 웅대한 산들과 피요르드! 대자연(大自然)이라는 말이 실감난다.

요건 정말 볼 만하다.

스칸디나비아 반도는 하나의 거대란 암괴(巖塊)이다. 산들이 독립하

노르웨이의 대자연

노르웨이의 대자연: 후겔보리

여 삐쭉삐쭉 솟아 있는 다른 나라와는 달리 하나의 바윗덩어리로 이어져 있다.

이것이 스칸디나비아 반도 뿐만 아니라 바다 속으로 아이슬란드와 스코트랜드까지 이어져 있는 것이다.

같은 스칸디나비아 반도에 있는 나라이지만, 노르웨이와 스웨덴의 경치는 전혀 다르다.

스웨덴이 평평하다면, 노르웨이는 솟아 있다고 해야 할까?

노르웨이의 산들은 산위에 눈을 이고 있고, 빙하가 있고, 셀 수 없을 만큼 수많은 웅장한 폭포를 품고 있고, 산 밑으로는 내륙 깊숙이 바다가 들어와 있는 피요르드가 있어 가히 그 경치가 압권이다.

몇 번이나 또다시 가보고 싶은 나라이다.

정치와 정책

정치

정치는 웃는 것에서부터 시작하고, 장사는 허리를 숙이는 데서부터 시작한다.

난 허리가 유연하지 못해 장사를 못하고, 잘 웃지를 못하니 정치에도 젬병이다.

뭘 해야 되누?

정치인들에게

① 시각

좌우만 보지 말고 옆, 앞, 뒤, 위. 아래 모두를 보라. 나의 삶, 나라의 운명이 달라진다.

② 높이 나는 새

높이 나는 새가 멀리 본다.

사람도 지위가 높아지면 멀리 내다 볼 줄 알아야 하는데, 높아질수록 자신만 챙기는 사람이 있으니…….

세상을 변화시키려면 힘이 있어야 한다.

③ 힘

힘이 있으면 꿈을 이룰 수 있으나, 힘이 모자라면 한(恨)으로 남게 될 것이다.

그러나 힘이 있으면 다른 사람을 다치게 하고, 힘이 없으면 자신이 다치게 된다.

개혁을 하려면 힘이 있어야 하고, 그 힘은 사람을 다치게 한다. 그러나 힘이 없으면 자신이 다치는 법이다.

4 부패

못 먹어서 걸리는 병보다는 잘 먹어서 걸리는 병이 더 많다고 한다.

이는 몸에만 해당되는 말이 아니다. 관료나 정치인들이나 경제인들이나 권력을 가진 사람들이 명심해야 할 말인 듯하다.

5 협상

주도권을 잡으려면 상대방에게 다가갈 것이 아니라, 다가오게 하라.

(2013.9.30)

큰일을 하려면

큰일을 하려면 이름부터 얻어야 한다.

이름을 얻지 못하면, 큰일을 할 수 없다.

이름을 얻으려면, 다른 이들과는 달라야 한다.

어떤 분야에서는 일등을 해야 하고, 사람들이 부러워할 학교를 다녀야 하고, 직장을 잡아야 한다.

아니, 그보다는 꼴찌를 하던가, 사람들이 부러워할 학교나 직장을 말도 안 되는 이유로 갑자기 때려치워야 한다.

그리고나서 반드시 성공해야 한다.

사람들은 순탄한 것보다는 역경이나 특이함 속에서 이루어지는 성공을 더 잘 기억하는 법이니까.

정치와 정책

인본주의와
자본주의

흔히 자본주의(capitalism)의 반대말이 공산주의(communism)라 한다.

이는 틀린 말이다.

자본주의(capitalism)의 반대말은 인본주의(humanism)이다.

자본주의는 자본을 중요시하는 사상이다. 자본은 본디 돈을 의미하는 말이지만, 자본주의가 유행하다보니, 돈을 벌 수 있는 바탕이 되는 것을 모두 '자본'이라 부른다.

오죽하면 '인간 자본(human capital)'이라는 말이 나올까!

인본주의란 사회생활의 바탕이 사람이라는 뜻이다. 무엇보다도 사람이 우선이며, 인간의 존엄과 가치를 우선으로 하는 사상이다.

자본주의가 가지는 근본 가치는 한마디로 개인이며, 자유 경쟁이며, 돈이다.

이때의 개인은 '이기적인 개인'임을 상정하고 있다.

자본주의는 돈을 숭상하는 까닭에 사회를 번영시키는 듯하지만, 결국 사회를 망친다.

오늘날 유행하는 갑질이라는 말이 이를 증명한다.

그런데 왜 공산주의라는 말의 반대말로 쓰이는가?

공산주의의 반대말은 엄격히 말해 사유재산주의이다.

자본주의의 근간이 되는 것이 사유재산의 인정이고 개인의 자유인 까닭에 자본주의의 반대말이 공산주의인 것처럼 되어 버린 것이다.

그렇지만 엄격한 의미에서 자본주의의 반대말은 공산주의가 아니다. 인본주의이다.

한편 공산주의와 비슷한 말로 쓰이면서 우리사회에서 금기시 되는 말 중 하나가 사회주의라는 말이다.

사회주의는 생활의 기본 단위를 사회로 보는 말로서 개인주의에 대칭되는 말이다.

인간 생활의 기본 단위를 개인으로 보는가, 집단으로 보는가에 따라 우리는 개인주의와 집단주의로 나눌 수 있다.

흔히 개인주의를 이기주의와 동의어로 쓰는 사람들이 많은데, 이는 잘못된 것이다. 개인주의는 사회의 기본 구성단위에 관한 말이고, 이기주의는 인간의 심성과 관련된 말이기 때문이다. 이기주의의 반대말은 이타주의이다.

개인주의는 무엇보다도 개인의 가치와 자유를 우선시하는 데 비하여 집단주의는 개인보다는 집단을 우선시하는 사상이다.

집단주의도 그 집단이 무엇인가에 따라 가족주의, 사회주의, 국가주의, 전체주의 따위로 나눌 수 있다.

가족주의는 개인보다는 가족을 우선시하는 것인데, 요것이 더 나아가면 가문이나 씨족을 우선하게 될 것이고, 가족이나 씨족을 떠나 개인보다 사회를 우선시하면 사회주의가 될 것이며, 국가를 우선시하면 국가주의가 되는 것이고, 더 나아가 사회 전체를 우선시하게 되면 전체주의가 되는 것이다.

그렇다면 어느 사상이 올바른 것이고 바람직한 것인가?

사상엔 올바르고 아니고가 없다. 바람직하고 아니고가 없다. 다 장단점이 있는 까닭이다.

어느 한 쪽에 지나치게 치우치지 말고 서로 대칭되는 사상의 융화가 필요한 것이다.

개인주의와 사회주의의 조화, 자본주의와 인본주의의 조화가 바람직한 것이다.

개인만 강조하다간 사회가 실종되고, 사회만 강조하다간 개인이 보이지 않는다. 인간의 이기심만 강조하다간 이타심을 무시하기 쉽다.

자본주의를 강조하다 보면 사람이 보이지 않는다. 우리는 인본주의가 상실되어가는 사회에 살고 있는 것이다.

돈이 중요하다 하나, 사람이 없으면 무슨 소용인가?

자본의 가치는 오로지 인본의 바탕 위에서 존재하여야 하는 것이다.

자본주의 사회에서만큼은 아무리 인간 회복을 강조해도 모자람이 없는 것이다.

생활

양성평등의
이면

부부 중 한 명이 일을 하고 가족이 살다가 지금은 두 명이 일을 하고도 살기 힘든 세상이 되었습니다.

양성평등이라는 미명하에 주부들을 일자리로 내몰면서 노동력 공급이 늘어나니 임금은 줄어들 밖에요. 실질임금은 거의 반 가까이 내려간 것입니다.

물론 명목 임금은 올랐겠지만, 물가 등을 감안할 때 그렇습니다.

물론 반은 과장이고 대충 1/3 정도 깎였다고 보면 됩니다.

결국 고용의 권한을 가진 고용주들은 노동력을 경쟁시켜 생산을 늘리지만, 그 이득은 임금에 반영되지 않고 고용주에게만 돌아갑니다. 고용주만 이득을 보는 사회로 변화된 것이지요.

둘이 벌면 혼자 벌 때보다 수입이 두 배는 안 되어도 적어도 1.5배로 늘어난 것으로 착각하겠지만, 결국 아이 양육비가 별도로 들기 때문

정치와 정책

에 삶이 팍팍해지는 것입니다.

그러니 결국 애를 안 나으려 하고 저출산 문제가 생기는 것이지요.

양성평등, 물론 평등해야 하지만, 그것은 인격에 관하여 평등해야 하는 것이지 남녀 차이의 기능을 무시하고 평등하라는 것은 아닙니다.

부모가 양육하지 못하고 지금 크는 아이들은 정서적으로나 사회적으로 문제가 많습니다.

남자든 여자든 한 사람만 일하고 한 사람은 가정 일(양육 포함)을 하면서도 살 수 있는 그런 사회가 그리워집니다.

내 힘으로 바꿀 수도 없구, 참- .

복지와 증세

문재인 정부가 복지를 확대하는 일은 저출산 고령화에 대비하는 일이므로 미래성장 동력에 대한 일종의 투자로 보아야 한다. 사회적 안전이 확보되지 않으면 성장이 어려운 것이다.

사회적 안전망 확충이 더 없이 필요한 시점이다.

이를 위해선 증세를 통해 재원을 마련해야 한다. 자한당에선 반대하겠으나 부자 증세 강행해야 한다.

증세에 대해 국민들은 내 세금이 올라간다 생각하여 반대하고 있으나, 국민 대부분은 세금을 좀 더 내더라도 받는 이익이 더 크다는 것을 알아야 한다. 특히 젊은이들 가운데, 증세에 반대하는 사람이 많은 모양이지만, 이는 어리석은 짓이다.

늙은 부모님의 생활을 위해 자식들이 용돈을 매달 20-30만원 드리기도 벅찰 것이다. 그렇지만 이를 국가가 대신해준다면 얼마나 고마운 일인가!

예컨대, 세금을 월 5만원씩 더 낸다 하더라도, 아이가 있으면 보육수당 등을 매월 20-30만원씩 받을 수 있고, 늙은 부모님께 예컨대, 월 30만원씩을 드리지 않아도 된다.

만약 정부가 증세를 통해 이를 해결해주지 않는다면, 그렇다면 늙은 부모님의 생활을 자식들이 책임져야 할 것 아닌가? 소득이 없는 노인네들을 그대로 내버려 둘 것인가?

결국 세금으로 충당해야 한다.

그렇지만 소득세와 재산세 이외의 다른 세금으로 충당하는 경우 부자들은 득을 보고 결국 대다수 국민들의 부담으로 돌아간다.

결국 소득과 재산에 대한 부자증세를 통해 해결할 수밖에 없다.

예컨대, 소득 5억, 10억, 100억, 200억 되는 사람들이 과연 땀 흘려 5억, 10억, 100억 200억을 벌었을까? 이런 점에서 특히 불로소득엔 과감히 증세를 해야 한다. 그래서 누진세가 필요한 것이다.

물론 부자들은 그만큼 소득과 재산이 더 많으므로 더 많은 세금을 내게 되니 반대하는 것이 당연하다.

그렇지만 막상 직장생활을 새로 시작하는 젊은이들이 증세를 반대하는 것은 우물 안 개구리처럼 자기가 더 낸다는 데에만 생각이 머물기 때문이다.

결론은 복지재정은 확충해야 하고, 그것은 미래를 위한 투자이며, 증세는 젊은이들이나 저소득층에게 유리한 정책이라는 것을 이해해야 한다.

(2017.8.26)

생활

민주당엔 바보들만 모였는가?

- 서울 시장 부산 시장 보궐선거를 보며

선거가 코앞인데, 여론조사 결과는 민주당 후보들이 국민의 힘 후보들에게 한참 뒤진 걸로 나타난다.

원인은 무엇일까?

전임 시장들의 성추문 때문일까?

글쎄, 조금은 영향을 미쳤을지 모르겠으나 그렇게 큰 지지율 격차의 원인이라고는 생각되지 않는다.

그렇다면 후보 자질이 떨어지는 걸까?

글쎄, 양당 후보 모두 스펙은 훌륭하다.

혹자는 양당 후보들 모두를 위선자, 거짓말쟁이라며 비난한다.

설령 그렇다 하더라도 원래 우리나라 정치인들의 위선과 거짓은 늘 있어 왔기에, 시쳇말로 "그놈이 그놈이다."라고 생각하는 사람들이 많기에 그러려니 하는 사람들이 많다.

정치와 정책

더욱이 양당 후보자를 이 기준을 가지고 비교하기엔, 거의 대부분의 유권자들이 이들을 잘 모른다.

그렇담 정책인가?

요것도 아니다.

정책전문가가 아닌 한 일반 국민들은 양당 후보자들의 정책 차이가 어디에 있는지도 잘 모른다. 후보자들이 내세우는 정책이란 것도 비슷비슷하다고 생각한다. 유권자들이 느끼기에는 그저 후보자들은 모두 "잘 해보겠다."라고 외치고 있다고만 생각한다.

그렇담 지지율의 차이가 나타나는 근본 원인은 무엇인가?

그건 현 정부의 실정에 따른 국민들의 생활 불안이다.

방역도 잘하고 있다고 보는 국민들조차도 부동산 폭등에 대한 불만이 팽배하다.

부동산 폭등을 막지 못한 정부의 실책도 물론 양당 후보 지지율에 영향을 미치겠으나, 문제는 부동산 폭등이 아니다.

나는 부동산 폭등에 따른 조세저항 때문이라고 본다.

특히 내 집을 가지고 있지 못한 젊은 층이나 세 들어 사는 서민들은 물론 집 한 채를 가지고 있는 중산층이나 서민들 역시 부동산값 폭등에 따른 조세 부담 걱정 때문에 현 정부에 대한 불만이 팽배해진 까닭이다.

예컨대, 서울 부산의 대부분 중산층들은 비록 아파트 한 채를 가지고 있더라도 종합부동산세-양도소득세-를 내야하는 처지에 이르렀다.

그러지 않아도 공시가격 현실화정책에 따라 매년 재산세가 오르는데, 집값 폭등에 따라 세금 폭탄이 예고되어 있으니, 중산층은 물론 서민들조차도 세금 걱정이다.

　집 한 채는 인간다운 생활을 영위하는데 필수불가결한 기본 아닌가?

　부동산 폭등이 문제가 아니라 부동산 폭등에 따른 세금 폭탄이 이번 선거 결과를 좌우할 것이다.

(2021.4.1)

문제는 세금이야, 바보야.

이번 선거 결과는 예상대로이다. 전혀 예상을 벗어나지 않았다.

그렇다면 민주당의 패배, 아니 참패 원인은 무엇인가?

한마디로 민주당과 현 정부의 무능 때문이다.

방역도 세계적으로 잘 하고 있고, 수출도 경제 상황도 다른 어떤 나라보다 우수한데, 정부의 무능 때문에 선거에 참패하였다고?

물론 잘하고 있는 건 잘하고 있는 거다.

문제는 민생이다.

투표는 국민들이 하는 것이니 국민들의 눈으로 보자.

국민들이 투표를 할 때 가장 많은 영향을 받는 것은 정부가 하는 일 가운데 자신의 이해관계에 직접적으로 관련된 사안들이다.

수출도 잘하고 경제가 우수한 건, 국민들 눈으로 볼 때, 정부의 경제 정책보다는 기업이 열심히 일했기 때문이라고 생각한다.

그런데 여기서 문제는 나라 경제가 좋아진다고 해서 내 주머니 사정이 좋아지는 게 아니라는 점이다.

대부분의 국민들은 코로나 사태로 살아나가기가 막막하다. 수출이 잘되어 소득이 느는 건 재벌들이다.

결국 수출도 늘고 경제 상황이 좋아질수록 부익부 빈익빈 소득 격차만 늘어나고, 대부분 국민들의 상대적 박탈감만 증대된다. 그러니 국민들이 여당에 등을 돌리는 거다.

만약 정부가 이를 완화시키는 정책을 세우고 시행했다면 국민들이 여당에 등을 돌리지는 않았을 거다. 곧 정부의 재분배정책이 미흡했던 것이 문제이다.

예컨대, 보편주의에 입각하여 재난지원금을 국민 모두에게 지급하고, 국회에서 (부자)증세 정책을 세워 강력히 시행하였다면, 대다수 국민들의 상대적 박탈감은 완화되었을 것이고 여당의 선거 참패라는 결과는 나타나지 않았을 거다. 이런 걸 도외시하는 정부 여당은 참패할 수밖에 없다.

더욱이 180석이라는 의석수를 가지고 있는 거대 여당이 한 일이 무엇인가?

한편 방역은 정부 당국-의료진-이 잘 이끌어간 것을 부정하는 것은 아니지만, 국민들은 국민 개개인이 정부 당국에 적극 협력했기 때문이라고 생각한다.

혹자는 정부 여당의 선거 참패에 미친 또 다른 원인으로 부동산 정책 실패로 인한 부동산 폭등과 LH 투기 사태[1)가 원인이라 주장한다.

국민들은 LH 사태에 분노한다.

그러나 국민들 대부분은 LH 사태가 관료들 사이에 늘 있어왔던 부패 유형의 하나이며, 이전 정권에서도 이런 부정부패는 있었다고 생각할 뿐이지, 투표에 직접 영향을 미친 것은 아니라고 본다. 물론 이런 부정부패를 척결하지 못한 현 정부의 잘못을 인지하고는 있겠지만 이것 때문에 야당에 표를 던진 것은 아니라고 본다.

부동산 폭등 역시 마찬가지이다. 부동산 폭등을 막기 위한 정부 여당의 노력이 실패로 돌아간 것은 물론 현 정부의 잘못이다. 아파트 값 올랐다고 분노하여 투표에서 야당을 선택하는 계층은 분가해야할 청년층에서는 있을 수 있는 일이다.

그러나 집을 가지고 있는 대다수의 국민들은 아파트 값이 올랐다고 야당에 투표하지는 않았을 거다.

아파트 값이 폭등한 건 돈 많은 일부 투기세력들 때문이지 정부가 일부러 올린 건 아니기 때문이다.

토지 주택 등 수요 공급의 법칙이 적용되지 않는 경제 분야에서까지 자유시장주의 정책만을 주장하면서 어찌 부동산 폭등을 막을 수 있겠는가?

부동산 문제만큼은 사회주의 경제정책을 주장하는 진보계열의 시민들은 정부의 무능을 탓할 만하다. 그러나 자유시장주의를 신봉하는 많은 국민들마저 정부를 탓할 수는 없는 일이다.

---

1) ㅣH 란 '한국토지주택공사'의 영문 약자 표기인데, 언론에선 왜 이런 영어 약자 표기를 써야 하는 건지 모르겠다. LH가 무슨 뜻인지 이 글을 쓴 이도 인터넷을 한참 뒤진 뒤에야 알아냈다. 우리말을 두고 영어 약자로 표기하는 것은 언어사대주의 아닌가? 반성할 일이다.

여기서 집고 넘어가야 할 것은 아파트 값 폭등을 막으려는 정부 여당의 정책 실패 때문에 국민들이 보수 야당을 선택한 건 아니라는 사실이다.

대다수의 국민들이 자유시장경제를 맹신하고 있는 한 결코 부동산값을 잡을 수 없다.

문제는 부동산값이 오르는 만큼 덕을 보는 사람들은 두 채 이상의 집을 소유한 사람들이다.

집 한 채인 대부분의 국민들은 집값이 오른다고 좋아하지 않는다. 오히려 폭등에 따른 세금 부담을 걱정한다.

그렇지 않아도 공시가격 현실화에 따라 매년 재산세가 오르는데, 여기에 집값 폭등에 따른 세금 부담이 가중되는 고통을 겪고 있다. 엎친데 덮친 격으로 코로나 사태로 인해 소득은 팍 줄었는데, 아파트 값 오른 만큼 늘어나는 세금 낼 일이 걱정이 되는 거다.

두 채 이상의 집을 가진 사람들은 세금이 늘어 난다해도 눈 하나 깜짝 안 한다. 세금을 다 낸다 해도 투기이익은 남기 때문이다. 집값 폭등으로 생기는 이들의 불로소득을 정부가 환수해야 한다.

더욱이 정부는 집이 한 채라도 호화주택에 부과하는 종합부동산세의 기준-양도소득세 감면 기준을 9억 원으로 그대로 두고 있기에 국민들은 분노하고 있는 거다.

아파트 가격이 폭등했다면, 호화주택으로 규정하는 기준도 9억에서 15억이나 20억으로 올려야 하지 않겠는가?

9억 이상이 호화주택이라는 기준이 언제 생긴 건데 아직까지 이를 유지하는가?

정치와 정책

148

서울 부산의 중산층이 소유한 대부분의 아파트들은 시세가 9억이 훨씬 넘는다.

이들이 살고 있는 한 채의 아파트가 정말 호화주택인가?

어차피 살아나가는 데 집 한 채는 있어야 될 필수품인데, 아파트 한 채 가지고 있다고 종합부동산세-양도소득세-를 내야 하는가?

그러니 국민들, 특히 집 한 채 가진 중산층들은 분노한다.

늘어난 세금은 이들의 피부에 직접 와 닿는 거다. 이것이 투표로 연결된 거다.

한마디로 캐스팅 보트를 가진 중산층이 등을 돌려버린 결과가 이번 민주당의 선거 참패이다.

부동산 폭등에 따라 세금이 많이 걷힐 거라 생각하여 국세청은 말이 없다. 국세청은 한 명의 부자한테 1,000원 걷는 거보다 천 명의 국민들에게 10원씩 걷는 게 세금을 많이 걷는 데 더 유리하다고 생각한다. 그러니 세금 주무 부서인 국세청에게 부동산세 세법 개정하자고 주장할 건 못된다.

한편 권한 있는 국회의원이나 정부 고위 관료들도 부동산세법을 고치려 하지 않는다.

이들이 몰라서 그러는 건 아닐 것이다. 자신들이 걸려 있는 이해관계 때문에 집 한 채 가진 국민들의 세금을 감면하는 정책을 입안하거나 부동산세법을 개정하는 데에는 별로 관심을 두지 않는 것이다.

이들 중 두 채 이상의 집을 가진 사람들이 많기 때문이기도 하지만, 이들은 자기들만 세금 내는 것이 억울하다고 생각한다. 매도 같이 맞는

매가 낮다고, 집 한 채 가진 사람도 자기들처럼 세금을 내야 한다는 생각 때문에 움직이질 않는다.

그렇다면 대통령이나 정치 지도자들이 강력한 리더십을 발휘하여 이를 시정해야 하는데, 그 방법을 모르거나 무능한 까닭에 그러지 못한 것이 이번 선거 결과로 나타난 것이다.

180석이라는 의석수를 가지고 있는 거대 여당이 그 동안 제대로 한 일이 무엇인가?

180석의 의석을 가지고서도 국민들을 위한 세법 개정 하나 제대로 추진하지 못하는 정당을 어찌 믿을 수 있겠나?

그렇기에 야당의 정권심판론이 먹혀들어간 것이다.

국민들의 기대를 충족시켜 주지 못하는 정당은 퇴출시키는 게 맞다.

180석의 의석을 가지고도 일을 안 하는 정당 퇴출시켜야 한다.

그런데 그렇다고 야당은 무능하지 않은가? 글쎄 이건 또 다시 따져 봐야 할 문제이다.

단지 여기서 얘기하고 싶은 것은 내년의 대선이다.

만약 지금이라도 소득재분배정책과 증세정책을 강력히 시행하여 국민들이 느끼고 있는 상대적 박탈감을 완화시키고, 세법 개정 등으로 중산층의 조세 부담을 경감시켜 주고, 민주당이 180석 의석으로 강력하게 검찰 개혁, 언론개혁 등을 추진하고 부정부패를 뿌리 뽑는다면 다음 대선에서 희망을 버릴 필요는 없을 것이다.

그렇지만 그러지 못한다면?

(2021.4.8)

대통령 후보들

내년 20대 대통령 선거를 앞두고 셀 수 없이 많은 대통령 후보들이 언론을 장식하고 있다.

여당에서 아홉, 무소속을 포함한 야당에선 10명도 훨씬 넘는 어쩌면 20명도 넘는 많은 분들이 출사표를 던지고 있다.

이들은 모두 우리나라를 위하여 무엇인가 뜻이 있어 나온 분들일 것이다. 참 훌륭한 생각을 가지신 분들이다.

이들 대통령 후보들만 모아 놓고 국사를 논의하게 하는 장치만 헌법에 마련되어 있다면, 아마 국회가 필요 없을지 모르겠다는 주장도 나온다.

허긴 요즘 국회를 보면, 뭐 별로 할 일이 없는 듯하니, 그게 그거 아닌가 싶기도 하다.

그렇지만 내가 보기에는 왜 저런 사람이 나왔을까 싶은 어중이떠중이들도 출사표를 던진 것으로 보인다.

생활

내 눈이 삔 건가?

왜, "너 자신을 알라!" 라고 외친 소크라테스의 말이 생각나는 걸까?

물론 그 중에는 정말 훌륭한 후보들이 없는 건 아니다.

그렇지만 대부분의 후보들은 준비된 대통령 후보가 전혀 아니다. 품은 뜻은 가상하나, 대한민국의 미래에 대한 비전도 없고 정책 방향조차도 제시하지 않는다.

높은 관직을 박차고 나와 뜻을 펴려는 분들도 있고, 젊음을 무기로 내세워 대한민국의 변화를 부르짖는 분들도 있고, 과거의 정치 행정 경험을 내세우는 분들도 있다.

그저 인기에 편승하여 한자리 노리는 분이 계신가 하면, 명함에 20대 대통령 후보로 나왔다는 것을 자랑스럽게 쓰기 위해 나온 명함용 후보들도 있는 듯하다.

어떤 분은 그나마도 공정과 정의를 외치기도 하니 그래도 좀 낫다.

공정과 정의를 외치는 분들의 인기가 다른 후보들에 비하면 비교적 높다는 것은 현 정부가 얼마나 불공정하고 정의롭지 못했는지를 반증해 주는 것 아닐까?

그런데 가만히 보면, 입으로는 공정을 외치지만 그 분의 행적은 공정과는 거리가 먼 듯한 분도 있는 것 같은데, 이건 나만의 생각일까?

공정하지 못했던 분이 공정을 내세우는 사회, 국가 비전도 제시하지

정치와 정책

못하는 분들이 대한민국의 방향키를 잡겠다고 아우성인 나라, 세상이 디비져도('뒤집어져도'의 경상도 사투리) 한참 디비져 있다.

에잉~!

(2021.7.1)

세상이 왜 이래?

내가 죽을 때가 된 건가?

오죽하면 나훈아가 테스 형을 찾을까?

이것이 팩트라고?

세상이 디비졌네!

언론이 이래서야 쓰겠는가?

대통령 후보들

내가 죽을 때가 된 건가?

요즈음 세상 돌아가는 걸 보면, "세상이 왜 이래?" 소리가 절로 나온다.

어느 세상이든 어느 시기이든 당시 살던 사람들은 그 사회에 퍼져 있는 부조리와 불공정 등을 보고 겪고 느끼면서 사람들마다 "말세다, 말세!"라는 소리를 지껄이지 않은 적이 없었다.

이런 현상을 이용하여 종교 지도자들은 마치 세상의 종말이 온 것처럼,

"회개하라! 천국이 가까이 왔노라!"

라고 외치면서 결국 자신의 세력을 넓히는데 이용해왔다.

물론 진심으로 회개하라고 외친 훌륭한 분들이 전혀 없는 건 아니다.

그러나 대부분은 자신의 정치적, 종교적 힘이나 영향력을 높이는 데

이런 말기적 현상을 교묘히 이용해 온 것도 사실이다.

그렇지만 정말 이 세상이 망한 적이 있던가?

역사와 문화를 알면 미래를 예견할 수 있는 눈을 가진다니 하는 말인데, 예견까지는 지식이 짧아 하지 못하겠으나 당시 사람들이 그 당시 사회를 어찌 인식하였는지는 대충 알 수 있다.

지금까지 세계 역사를 훑어보면 어느 시대나 어느 사회나 **훌륭한 성인**이 출현했던 것을 볼 때, 아니 성인이나 영웅 말고도 '회개하라'를 외치며 희한한 행동을 취하던 사이비 종교 지도자들이 등장했던 것을 보면, 당시 사람들이 당시 사회상을 '말세'라고 인식했던 것만큼은 미루어 짐작할 수 있다.

성인이나 영웅 같은 위인은, 그분들이 진정한 성자이거나 영웅이든 아니면 사이비든, 결코 평범한 세상에선 빛을 발할 수 없는 법이니까 말이다.

그리고 어느 시대든지 간에 이러한 분들이 사이비든 진짜든 많이 나타났던 것을 보면, 말세 현상은 언제나 어디서나 나타나는 보편적인 현상임에 틀림없다.

요런 걸 잘 알기에 칠십이 넘도록 사는 동안 "말세다 말세!"라는 생각이 들 때마다, "어느 세상이나 다 그렇지, 뭐~"라며 세상을 관조하는 태도로 그러려니 하며 지내왔다.

아니 말세적 현상이 나하고는 전혀 상관없는 듯 산속의 신선이나 도인처럼 그러려니 무심히 지나쳐 왔다.

박정희의 인권 탄압이나 전두환의 광주 학살, 이명박의 사리사욕에 따른 부조리한 행태나 박근혜의 무능과 최순실의 국정농단, 그리고 태

세상이 왜 이래?

극기부대의 강짜까지도, 나아가 세계적으로 볼 때, 트럼프의 유치찬란한 정치적 행태 등등도, 그냥 모든 것이 이 세상의 일부에서 흔히 여겨지던 그저 그렇고 그런 늘 있어왔던 말세적 현상(?)이려니 했던 거다.

그런데 요즘은 그저 그런 게 전혀 아니다. 정말로 이 세상이 말세라는 것을 피부 깊숙이 느끼는 거다. 어느 시대나 어느 사회나 다 존재하는 말세적 현상만으로는 결코 치부할 수가 없는 거다.

이는 꼭 코로나 때문만은 아니다.

또한 현 시점이 4차 산업사회로 진입하는, 세상이 대폭 바뀌는, 대변환의 시기라서 나타나는 말세적 현상도 전혀 아니다.

요즘 세상 돌아가는 것을 보면, 이런 변화와는 전혀 무관하게 나타나는 진짜 말세적 현상이라는 생각이 드는 것이다.

불과 이삼십 년 사이에 세상이 뒤집어졌다.

모든 게 거꾸로 되었다.

우리가 추구하던 사람 중심의 사회가 그 지향점이 돈 중심의 사회로 바뀐 것은 물론, 인정과 동정과

관용은 사라지고 경쟁과 대립과 독선만이 판치는 세상이 되어버렸다.

세상이 부조리하고 불합리하고, 불공정하게 돌아가는 것은 언제나 어느 곳에서나 있었던 일이건만, 요즘은 이를 그냥 그렇게 받아들일 수가 없는 거다. 인용의 한계를 넘어선 거다.

생활

소수여야 할 이러한 현상이 다수로 나타나니 진짜 말세 아닌가?

부조리, 불합리, 불공정은 어쩌다 나타나야 하는 것 아닌가?

요새 세상은 이런 것들이 판치고 돌아가며 당연한 것으로 받아들여지는 세상이 되었으니, 정말 "말세다, 말세!"라는 걸 적극 주창해야 할 때가 왔다는 걸 느끼는 거다.

아님 내가 죽을 때가 된 걸까?

(2021.2.10)

세상이 왜 이래?

오죽하면 나훈아가 테스 형을 찾을까?

[1] 최근 일이 년간 들어나는 검찰이나 법원의 행태도, 국회의 행동도, 언론의 행실도 도저히 있을 수 없는 것을 보여주는 거다.

본질은 어디가고 지엽이 날뛰는가?

공정과 정의, 관용이라는 중요한 가치는 지엽적 절차나 자잔한 곁가지에 묻혀버리는 거다.

유명 대학교 졸업장도 아니고, 이름도 없는 대학에서 봉사했다고 주는 표창장을 위조했다고-정말 위조했는지 아닌지는 나는 모른다-징역 4년을 구형하는 것이 있을 수 있는 일인가?

그것이 과연 중형을 구형할 수 있는 사안일까?

물론 절차도 중요하다. 법을 어기는 것도 잘못이고 당연히 처벌받아야 한다. 그걸 부정하는 건 아니다.

그러나 본질은 현행 입시제도에 문제가 있는 거 아닌가? 온갖 스펙

쌓기에 노력을 기울여야만 하는 입시제도가 가져온 부작용 같은 거 아닌가?

설사 사문서 위조 및 행사의 죄를 묻는다 하더라도-실제 위조한 것인지 입시에 영향력을 미치며 사용된 것인지는 나는 모른다.-정말인지 아닌지도 확실하지 않은 표창장 위조보다는 입시제도의 본질적 문제를 다루는 게 바른 언론이 지향해야 할 지향점이 아닐까?

그리고 학부모 입장에서 자녀를 좋은 학교에 보내려고 안간힘을 쓰다 생겨난 부작용 같은 것을 감안할 수 있는 관용은 법적 판단에서 제외되어야 마땅한 것인가?

조그만 잘못은 감싸주고, 덮어주며 용서해주는 관용은 우리 사회에서 실종된 것일까?

좋다.

잘못은 잘못이고, 벌은 받아야 하는 거라 하자.

그렇다면 이와 비슷한 모든 사안은 모두 기소되고 처벌하여야 하는 거 아닌가?

드러나지 않은 범죄는 그냥 놔두고, 드러났으니 일벌백계다?

일리가 있는 말이다.

그렇다면 드러난 범죄는 백퍼센트 똑같이 다루지는 않더라도 비슷비슷하게는 다루어야 공정한 것 아니겠는가?

예컨대, 나경원 자녀의 성적 위조나 서울대 인턴 문제-역시 사실은 난 모른다

세상이 왜 이래?

-는 왜 고발되었는데도 왜 검찰에선 다루지 않는가?

검찰이 편의대로 수사하고 기소하는 것이 과연 공정한 것인가?

사문서 위조 및 동 행사보다도 상위 가치인 공정성은 훼손되어도 괜찮은 것일까?

나아가 인간의 존엄과 가치는 공정과 정의라는 아래 가치에 의해 가려질 수 있는 것일까?

또한 자잘한 지엽적 문제 때문에 공정과 정의라는 그보다 더 큰 가치는 내 몰라라 해도 되는 것일까?

절차에 가려서 본질은 보지 못하고, 오만과 독선이 절대인양 이해(理解)와 인용(認容)은 사라지고, 증오가 판치며 사랑이 실종되는 사회가 된 것이다.

오죽하면 나훈아 씨가 테스 형을 찾을까!

(2021.2.12)

② 여야의 극심한 대립 속에서 공수처(고위공직자범죄수사처)가 출범한지 이제 석 달이 지났는데, 공수처에선 '조희연 서울시 교육감의 교사 특별채용 의혹'을 '공수처 1호 수사' 대상으로 삼아 수사하겠다는 뉴스가 나온다.

그 계기는 '조 교육감이 2018년 7월~8월 해직교사 5명의 특별채용을 검토 및 추진하라고 지시한 것'을 감사원에서 국가공무원법 위반 혐의(시험 또는 임용의 방해 행위 금지)로 경찰에 고발한 것을 공수처에서 이첩을 요구하여 여기에 직권남용권리행사방해 혐의를 적용하여 '공수처

1호 수사' 대상으로 삼은 것이다.

서울시 교육감의 비리나 부정은 물론 공수처의 수사대상일 수 있다. 그러나 공수처에서 수사하는 내용, 곧, '국가공무원법 위반 혐의(시험 또는 임용의 방해 행위 금지)'나 '직권남용권리행사방해' 혐의가 과연 공수처에서 수사해야 할 내용일까에는 의문이 든다.

검찰이나 공수처나 법을 얼마나 잘 아는지 몰라도 '직권남용권리행 사방해' 혐의로 수사를 한다면, 물론 할 수는 있을 것이다.

그렇지만 이런 혐의 정도는 경찰에서 수사하든지 아니면 감사원의 감사 결과를 토대로 교육부에서 징계를 하든지 하면 되는 것 아닌가? 교육감이 선출직이라서 교육부에서 징계를 할 수 있는지 없는지는 모르 겠다만…….

교육감이 교사 특별채용을 지시한 것이 정말 직권남용일까? 특별채 용인가 일반채용인가를 결정하는 것은 교육감의 재량권에 속하는 건 아 닐까?

해직교사를 대상으로 특별채용을 할 것을 지시하지도 못하는 교육감 이라면 어찌 교육행정을 자치적으로 해나갈 수 있을까?

아무리 행정부, 사법부, 입법부가 독립하여 서로 견제하는 것이 삼 권분립제도라지만 이는 견제를 넘어 사법부의 월권행위 아닌가라는 생 각이 든다.

아니 좋다. 사법부에서 법률적으로 교육감의 '직권남용권리행사방해' 를 수사할 수 있을 것이다.

그렇지만 이것이 과연 공수처의 수사 대상이 될 수 있는 것인가?

아니 좋다. 공수처의 수사 대상이 될 수 있으니 공수처에서 수사하겠다고 나선 것 아닌가?

검찰이나 공수처나 법을 위반한 것은 수사할 수 있다.

그렇지만 이 사안이 서울시교육감이라는 고위공직자의 권력형 비리나 부패라고 볼 수 있는 것일까? '

윤석렬 전 검찰총장의 재판부 불법 사찰 의혹, 윤 전 총장의 부인 김 모씨가 회사 협찬금 명목으로 금품을 수수했다는 의혹, 윤 총장 부인 김 모씨가 관련된 도이치모터스 주가 조작 의혹, 도이치파이낸셜 주식 매매 특혜 사건에 개입한 의혹, 윤대진 사법연수원 부위원장의 친형 뇌물 수수·사건 무마 의혹, 김학의 전 법무부차관 출국 금지와 관련된 검찰 고위간부들이나, 월성 1호기 조작 사건과 청와대 울산시장 선거 개입 사건, 라임·옵티머스 정관계 로비 의혹 등 고위공직자의 권력형 비리나 부패와 관련된 여러 가지 중요한 사건들은 즐비하게 놓아두고, 경찰청에서 수사하면 충분할 것을 공수처에서 이첩하라 하여 그것도 '공수처 1호 수사 대상'으로 삼아야 했을까?

공수처나 검찰이나 수사 대상을 정할 때에는 사안의 중대성에 비추어 정말 중요한 것부터 수사해야 하지 않을까?

아마도 세상이 디비져[2] '중요하지 않은 것'이 '중요한 것'이 되고, '중요한 것'은 '중요하지 않은 것'으로 바뀐 것 아닌가라는 생각이 된다.

디비진 세상에선 디비진 생각이 옳은 것인 모양이다.

그러니 제 정신대로 살기가 어려운 세상이다.

(2021.5.11)

---

2) '디비지다'는 말은 '뒤집어지다'라는 말의 경상도 사투리.

생활

이것이 팩트라고?

언론도 그러하다.

중요한 본질과 사실은 도외시한 채, 흥미 위주의 말초적 곁가지만으로 관중을 속이며, 사회에 큰 영향을 미치는 중요한 사안은 지 입맛에 맞도록 재단하는 것이 언론의 사명이며 언론이 걸어야 할 정도일까?

아무리 돈이 좋다한들 그렇지, 무조건 많은 시청자나 구독자를 확보하기 위한 이런 행태가 사회를 이끌어나갈 언론이 취해야 할 길인가?

옛 기자들은 비록 술을 먹고 깽판을 부리고 하더라도, 일단 펜을 잡으면 쓰고자 하는 것의 본질을 꿰뚫고자 마음 자세가 달라졌다.

그러나 지금 기자의 행태는 마른 잎사귀를 눈앞에 대고 세상을 가리는 역할을 앞장서 도맡아 하고 있다.

예컨대, 엊그제 조선일보(2021.2.19)의 기사 제목을 보자.

"세금 쏟아 부었지만……. 소득격차 더 벌어졌다"

세상이 왜 이래?

마치 정부가 재난지원금을 푼 것이 소득 격차를 더 벌어지게 한 원인인 듯 뽑은 기사 제목이다.

그러니 재난지원금을 줄 필요가 없다는 걸 주장하는 듯한 기사 제목이다.

소득격차가 벌어진 사실-진실-을 보도하면서, 마치 그 원인이 재난지원금인 듯 오도하는 기사 제목이다.

소득격차가 벌어졌다는 것이 사실이라면 저소득층에 대한 재난지원금을 더 확대하고, 고소득층에 대한 소득세율을 더 높여야 소득격차를 줄일 수 있는 거 아닌가?

곧 복지는 확대하고, 증세를 해야 하는 것인데, 이런 거는 전혀 그 내용에 없다.

기자는 중립적 입장에서 사실(사대 근성에 쩔어 서양말로 표현하는 걸 유식하다고 생각하는 사람들은 **팩트**라고 쓴다)만 그 내용에 제시하였다고 항변할지 모른다.

그러나 사실만 제시한다고 언론의 사명을 다 한 것일까?

그것도 제목에서부터 은근히 정부 비판만을 목적으로 국민을 오도할 수 있는 방향의 제목을 뽑는 것이 과연 온당한 일인가?

이 기사 제목은 단지 복지를 해봐야 소용없다는 식의 논조를 반영하기 위해 기사 제목을 뽑아낸 것에 불과하다. 곧 정부의 재난지원금 지급을 비판하고 잘못하는 것인 양 국민들을 오도하고 있는 것이다.

이게 과연 언론이 나아가야 하는 정도일까?

정부의 정책에 대한 비판과 비난, 분명 언론이 담당해야 할 부분이다.

생활

그렇다면 오히려 증세를 바탕으로 복지를 확대해야 한다는 논조가 덧붙여져야 할 것 아닌가?

아무리 보수 지향의 언론이라 하더라도 국민을 오도하는 비판과 비난만으로는 언론의 사명을 다하는 것이 아니지 않는가?

(2021.2.21)

세상이 왜 이래?

세상이 디비졌네!

① 덧붙여 세상이 뒤집어진 것은 검찰이나 언론만이 아니다.

국회나 정치인들이야 예나 지금이나 원래 디비진 채니까 그러려니 하지만……, 사람과 개의 처지가 디비진 것도 그러하다.

지금 세상은 사람보다 개가 더 대접을 받는 세상이 되었다.

개 호텔에다, 개 미용실, 나아가 개 장난감은 물론 원격 조정이 가능한 개밥그릇까지 테레비에서 선전하는 세상이다.

개가 사람보다 더 귀한 신분이 되었다.

우리나라 아파트 경비원은 집 지키던 개만도 못하다.

낳아준 지 부모는 내 몰라라 팽개치면서도 집안의 개나 고양이는 열심히 보살피며 챙긴다.

개는 개다워야 하고, 사람은 사람다워야 하는데, 개는 점점 사람다워지고, 사람은 점점 개다워진다.

생활

세상이 뒤집어지지 않고서는 있을 수 없는 현상이 일상화되고 있으니 어찌 말세라는 개탄이 나오지 않을 수 있을까?

그러니 나훈아 씨가 테스 형을 찾지 않을 수 없는 거다.

② 세상이 이상해져서 부모자식 관계도 디비졌다.

자식이 나이 들면 부모를 봉양하던 것이, 이제는 부모가 죽을 때까지 자식을 돌보아야 하는 세상이 되었다.

'며느리 시집살이'라는 말은 이미 옛말이 된 지 오래이고, '시어머니 며느리살이'라는 말이 대세가 되었다.

요즘 디비진 세상에서는 시어머니가 며느리를 받들어 모셔야 한다.

'사위가 백년손님'이라는 말은 까마득히 사라지고, '며느리가 만년손님'이라는 건 노인네들 사이에 암묵적으로 인정되는 말이 되었다.

친정어머니는 물론이거니와 시어머니까지도 며느리 밥상 차려 줘야 할 의무, 손자 손녀를 돌보아 주어야 할 의무가 이제 필수가 된 세상이다. 한마디로 노인네 수난의 시대이다.

젊은이들 앉혀 놓고 효를 말하다간 고리타분한 옛사람으로 매도됨은 물론, 전부 다 신기한 눈으로 바라보는 세상이 되었다.

그러니 노인네들도 테스 형을 찾지 않겠는가?

③ 오늘은 스승의 날이다.

아침에 일어나 텔레비전을 트니 뉴스가 나온다.

오늘이 스승의 날인데, 제자들로부터 스승이 꽃 한 송이를 받는다든가, 존경의 염(念)을 담은 손편지를 받는다든가 하는 미담을 보여주는 것이 아니라, 학교의 선생님들이 사비를 털어 소고기를 마련하고 스테이크를 직접 조리하여 학생들에게 사랑을 베푸는 것이 방영된다.

앵커의 말,

"스승의 날, 존경과 감사를 받는 대신, 선생님들이 제자 사랑에 나선 겁니다. 오늘은 존경하는 선생님을 생각하고 감사의 뜻도 전하는 스승의 날입니다. 예전 같으면 학생들이 은사에게 꽃을 달아 드리고, 작은 선물도 하는 날인데, 한 여고에서는 되레 선생님들이 학생들에게 깜짝 선물을 해 눈길을 끕니다."

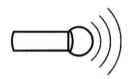

이어서 기사의 말,

"여고 선생님들이 요리사로 변신했습니다. 오늘 목표는 전교생이 먹을 토마호크 스테이크 500인분을 만들어 학생들 앞에 내놓는 것. 뜨거운 불과 기름 냄새 속에서도 얼굴에는 연방 웃음꽃이 피어납니다. 우리 제자들 사랑합니다. 고생했어요."

다시 앵커의 말,

"하늘 같은 스승의 은혜, 받는 사랑이 아닌 학생을 향한 선생님들의 거꾸로 사랑이 스승의 날의 참 의미를 살리고 있습니다."

이런 말씀이 있으면서 화면엔 구운 스테이크를 학생들 밥그릇에 논아주고 있는 것이 방영된다.

정말 세상이 많이 변했다.

세상이 디비져도 한참 디비졌다. 스승의 날이 아닌 학생의 날인가 의심될 정도이다.

생활

그렇지만 앵커나 기자의 말은 정말 그럴 듯하다.

특히 마지막 부분에선 "받는 사랑이 아닌 학생을 향한 선생님들의 거꾸로 사랑이 스승의 날의 참 의미를 살리고 있다."고 결론을 짓는 말맵시가 그럴듯하다.

잘못하면 감동되어 저절로 눈물이 나올 뻔했다.

그렇지만 요즈음 아이들은 너무 대우만 받고 자라 받는 것에만 익숙해져 있지 않은가?

집안에 하나 아니면 둘밖에 없는 아이들이라서 부모들이 오냐오냐 하면서 받들어 키우는 바람에 요새 아이들은 자기중심의 사고가 머릿속에 콕 박혀 있다고 봐도 무방할 듯한데……

이런 아이들에게는 남을 존중하고 사랑하는 법을 가르쳐야 하지 않을까?

대우만 받던 아이들이 남을 존중하고 대우하는 법을 알기는 알까?

군이 군사부일체(君師父一體)라는 옛말을 인용하지 않더라도 '스승의 날' 만큼은 낳아주신 부모님과 마찬가지로 가르쳐주신 선생님들 은혜에 감사하여야 할 것을 가르쳐야 할 것 아닌가?

스승의 날, 학생들이 돈을 걷어 선생님들께 과도한 선물을 하는 것이 김영란 법에 저촉될까봐 이런 것이 금지된 지도 오래되었지만, 꽃한 송이, 손편지 한 장 정도는 선생님 은혜를 되새기면서 해야 한다고 학생들에게 강조해야 하지 않을까?

그래야 아이들도 고마움을 알고, 고마움을 표시하는 방법도 알고, 앞으로 사회생활도 잘 할 것 아닌가?

선생님들이 스승의 날 학생들에게 내리사랑하는 모습을 보여주는 것

세상이 왜 이래?

이 과연 참사랑일까? 그런다고 학생들이 선생님 은혜에 감복할 것인가? 이런 모습이 요즘의 영악한 아이들에게 '스승의 은혜'를 깨닫게 하는 교육 효과가 있을 것인가?

생각해보아야 할 문제이다.

앵커의 말처럼 정말로 이런 거꾸로 사랑이 스승의 날의 참 의미를 살리고 있는 걸까?

말씀은 그럴 듯하다. 허긴 말 못하면 아나운서가 될 수 없으니까.

그렇지만 참 의미를 살리려면 적어도 여기에 덧붙여, "학생들이 이러한 스승의 참사랑을 잊어서는 안 될 것"이라는 말을 덧붙여 결론을 내렸어야 하지 않을까?

허긴 새롭고 신기한 것이 뉴스가 된다는 것은 알고 있었지만, 이런 건 방영 안 했으면 좋겠다.

굳이 이런 걸 방영해야 한다면, 좀 더 학생들을 일깨우는 멘트도 함께 해야 하지 않을까?

아니 이보다는 스승의 날, 꽃 한 송이, 손편지 한 장이라도 선생님들께 드리는 모습을 방영하는 것이 난 더 낫다고 본다.

허긴 이미 디비져 버린 세상이니 오히려 "스승의 날을 기화로 학생들에게 스승을 대하는 올바른 자세를 가르치는 모습"을 방영하는 것이 더 새롭고 신기한 현상인 세상이 되었으니 뉴스가 될 법도 한데…….

방송국이 뭘 모르는가 보다. 에이!

(2021.5.15)

언론이 이래서야 쓰겠는가?

"'한국 부채 부담 폭발 우려' IMF의 경고 왜 나왔나?"
오늘 SBS 아침 뉴스에 나온 기사 제목이다.
이어 아나운서는 다음과 같이 말하고 있다.

> 국제통화기금 IMF가 한국의 인구감소로 정부 부채 부담
> 이 폭발할 우려가 있다고 밝혔습니다. 코로나 사태에 대응하
> 기 위해 재정지출을 늘리는 것은 타당한 조치지만, 미래 세
> 대가 이 부채를 갚지 못할 수도 있다는 겁니다.

여기에서 보도된 '한국의 인구감소', '재정지출 증가', 이는 다 사실
이다. 그리고 '미래 세대가 부채를 갚지 못할 수도 있다."는 추정 역시
전혀 틀린 말이라고 보기는 어렵다.

그러나 IMF의 '한국 부채부담 폭발 우려'라는 추측성 주장을 전제

세상이 왜 이래?

로 'IMF의 경고, 왜 나왔나?'라고 기사 제목을 다는 것은 우리 국민들을 불안하게 만들고, 정부의 재정지출을 줄여야 한다는 식의 논조를 유도하는 제목이다.

아나운서는 이어, "IMF는 이달 초 한국의 부채는 올해 국내 총생산 GDP의 53%이지만, 2026년에는 70%로 증가할 것으로 전망했습니다. 블룸버그 통신은 한국의 이런 부채 전망은 주요 20개국 G20 국가들의 평균을 웃도는 수치로 특히 유럽과 일본의 부채가 향후 감소할 것으로 전망되는 것과 비교된다고 전했습니다."라고 한다.

물론 현재의 사실을 바탕으로 한 추측을 가지고 기사를 쓰거나 보도할 수는 있다.

그렇지만, "유럽이나 일본의 부채 감소 전망과 비교된다."는 것은 비교 자체가 잘못된 비교이다.

2019년 12월 통계상으로 일본의 부채 비율은 237%이고, 이탈리아가 156%, 스페인이 120%, 프랑스 116%, 미국이 108%, 유럽 전체가 84%, 독일이 59.8%, 한국은 37.7%이다.

작년 코로나 사태 이후 2021년 3월 현재 우리나라의 부채는 GDP의 37.7%에서 53%로 늘어났지만3), 일본(237%)이나 유럽 각국의 부채 비율(이탈리아 156%, 스페인 120%, 프랑스 116%, 독일 59.8%,)은 코로나 재정지출로 인하여 2019년 비율보다 훨씬 더 늘어났을 것으로 볼

---

3) 우리 정부가 2021년 3월 2일 국무회의 의결을 거쳐 '4차 맞춤형 피해 지원 대책'을 발표했는데 이날 홍남기 부총리는 "금번 추경으로 2021년 우리나라의 국가 채무 비율은 48.2%로 높아질 것으로 예상된다."(시사 IN 2021.3.23. 기사)고 했는데, 왜 IMF에서는 53%로 늘어났다고 하는지는 모르겠다. 아마 금년도 말의 추정치를 발표한 것이 아닌가 싶다.

수 있다.

그런데 우리 정부의 부채 비율이 앞으로 증가할 것이라는 예측과 일본 유럽 각국의 부체 비율이 감소할 것이라는 IMF의 예측은 어느 정도 타당하다.

그렇지만 이를 두고 "한국의 부채가 2026년에는 70%로 증가할 것으로 전망"한다면서 "특히 유럽과 일본의 부채가 향후 감소할 것으로 전망되는 것과 비교된다."고 하는 것은 잘못된 비교이다.

IMF의 전망대로 한국 정부의 부채가 4년 후인 2026년에는 70%로 증가한다 해도, 그리고 일본이나 다른 유럽 국가들의 부채가 감소한다 해도 아마도 일본이나 유럽 각국의 부채는 150%, 아무리 적게 잡아도 100%는 훨씬 넘을 것으로 예상되는데, 왜 한국의 정부 재정만 위기인 듯 보도하는가?

더욱이 100점 맞은 사람은 다음 시험에서 또 100점 맞을 확률보다 점수가 더 떨어질 확률이 높은 것이고, 0점 맞은 사람은 다음 시험에서 점수가 올라갈 확률이 더 높은 것 아닌가?4)

2021년 현재 부채 비율이 우리보다 4배~6배 이상 높은 국가들은 당연히 정부가 파산을 선고하지 않는 한 부채 비율을 낮추려고 노력할

---

4) 어떤 내용을 비교할 때 내용의 타당도를 저해하는 요인으로서 인공회귀 요인이라는 것이 있다. 이는 "극단적인 점수는 평균으로 회귀하는 경향이 있다."는 것을 지적하는 요인인데, 통계상으로 무엇인가를 비교할 때에는 항상 이런 요인이 작용함으로써 비교 내용의 타당도를 저해하는 것은 아닌지 검토해야 한다.

것이 당연하지 않은가?

물론 우리나라의 인구감소 때문에 정부 부채가 미래 세대에 부담이 될 것이라는 것은 당연한 말이지만, 일본이나 유럽 국가들은 노령화되지 않고 있는가?

더욱이 이런 기사를 보도하면서 "'한국 부채 부담 폭발 우려' IMF의 경고 왜 나왔나?"라며 마치 한국 재정에 큰 위기가 닥친 것처럼 언론이 호들갑을 떨어서야 되겠는가?

언론이 이래서야 쓰겠는가?

아나운서든 기자든 비교를 하려면 정확한 자료를 가지고, 그러한 비교가 가능한 것인지부터 검토해야 하고, 굳이 비교를 한다면, 비교 내용의 내적 타당도를 저해할 수 있는 요인을 언급하면서 조심스럽게 비교해야 할 것 아닌가?

그러지 않고 그냥 냅다 국민들에게 혼란과 걱정을 키우는 식의 자극적 문구로 가사를 작성하거나 보도하는 태도는 지양해야 한다고 본다.

이러한 보도가 기자들의 비교에 관한 지식이 부족한 데에서 오는 것일까?

난 그렇지 않다고 본다. 기자들도 이런 정도는 상식으로 알고 있을 정도로 똑똑하다.

그러니 기자들의 무지 때문이라고 보기보다는 우리 정부의 재정지출을 줄여야 한다는 모피아(mofia)의 주장을 뒷받침하기 위한 의도적 왜곡 보도로 보인다.

이래서 언론 개혁이 필요한 거다.

(2021.4.14)

생활

코로나 I

뭐, 이런 나라가 있어?

코로나가 전 세계로 막 퍼지기 시작할 즈음. 미국 뉴욕에 있는 밝은 이가 재수 없게 코로나에 걸렸다.

병원에 근무하다 보니, 코로나에 감염된 거다.

기침을 하는 노인 환자가 들어왔는데, 무언가 찜찜하여 간호사에게 물어 보았다고 한다.

"이 분 혹시 코로나 환자 아닌가요?"

"아닙니다."

그런데! 그 다음날부터 그 간호사는 출근을 안 하더란다. 아니 그 간호사뿐만 아니라, 그 병원의 간호사들이 모두 출근하지 않았다는 거다. 아마 코로나 감염이 무서워 집단으로 탈출한 거다.

국제전화에서 들리는 음성이란 힘없는 목소리인데도 칼칼하다 못해 갈라진 쇳소리가 나는 목소리였다.

생활

그런데도 코로나 검사를 안 해준다는 거다.

밝은이는 열이 오르고, 기침을 하고, 온몸이 쑤시고 아파 병원에 전화를 했다.

"지가 몸이 아파 오늘 출근을 못 하겠네요."

그랬더니, 병원에서 하는 말이

"간호사들도 모두 도망을 갔는데, 너까지 도망갈 셈이냐? 출근해라!"

할 수 없이 아픈 몸을 이끌고 다음날 출근을 했다.

그리고는 그 다음 날, 안 되겠다 싶어 코로나 검사를 하는 병원으로 가 검사를 요청했다는데…….

"지가요. ○○병원에 근무하는 의료진인데, 몸이 이상하여 코로나 검사를 받으러 왔시유!"

그런데……. 의료진이구 뭐구 간에 진찰도 안 해보고, 아니 말도 채 안 들은 채 그냥 문전에서 쫓겨났다.

"집에 가서 며칠 더 있다가 열이 많이 오르면, 그때 와서 검사 받으시오."

당시에는 검사 키트도 부족했고, 마스크 쓴 사람을 혐오하던 팬데믹 초기였다.

더욱이 병원에 갈 때에는 열이 내렸었다고 하니 검사도 안 해주고 쫓아내는 거다.

결국 검사도 못하고 집으로 돌아왔는데, 근무하던 병원에서는 출근 안 한다고 야단이었다.

"환자는 밀려드는데, 왜 출근 안 허냐? 너 짤리고 싶냐? 가뜩이나 일손이 부족한데……."

"아퍼서 도저히 출근할 수가 없어요."

나중에 알고 보니 밝은이가 근무하던 병원에선 코로나로 몇 사람이 죽어 나갔다는 거다.

그런데도 병원에선 쉬쉬하며 그것을 감추고 있었단다. 병원 환자 떨어진다고 그랬다는 거다.

아이구, 돈만 아는 놈들!

결국 감염된 지 나흘째 되던 날, 밤새 끙끙 앓다가--정말 죽을 뻔했다고 한다--다시 코로나 검사하는 병원엘 가서 검사를 받고 왔다.

결과는 내일 모레 알려준다고 한다.

무슨 놈의 검사 결과가 이틀이나 걸리나?

이게 당시 미국 병원의 실상이었다.

우리나라에서는 진단키트도 대량생산하고, 코로나 검사도 검사한 후 4시간이면 결과가 나오는데…….

결국 다시 이틀이 지난 다음, 검사 결과가 나왔는데, "양성!"이란다.

그러나 이때쯤에는 코로나 걸린 지 열흘이 지난 시간이었다. 너무너무 아프다가, 죽을 고비를 넘기고, 이제 점점 나아가기 시작할 때인 것이다.

"뭐, 이런 나라가 있어?"

며느리의 울먹이는 소식을 듣고는 밝은이도 밝은이려니와 며느리와 손녀가 더 걱정이 되었다.

처음부터 방을 따로 쓰고, 화장실은 하루에도 몇 번씩 소독하고, 방문 손잡이도 계속 소독하고, 마스크 쓰고, 환기시키고, 자주 손 씻고 등등 철저하게 감염되지 않도록 하라고는 시켰지만…….

생활

속이 타는 건 어쩔 수 없었다.

"당장 비행기 타고 승아 데리고 너라도 한국으로 돌아오너라."

"아픈 사람 놔두고 어떻게 가요?"

허긴 며느리 입장에서 아픈 사람을 놔두고 귀국할 수는 없었을 거라는 생각은 들지만, 걱정이 안 되는 것은 아니었다.

당시 상황으로는 비행기도 잘 안 뜨고, 미국 들어간다 해도 14일 격리해야 하는 등 당장 달려갈 수도 없는 상황이니, 그저 걱정만 하고 기도만 할 수 밖에 없었다.

나중에 소식을 들어보니 밝은이 근무하던 병원에선 계속 코로나 환자가 발생하여 몇 명이 죽어나갔는지 모른다. 그래도 그것을 쉬쉬하였다고 한다.

밝은이 윗사람도 코로나 걸리고…….

그렇지만 병원 자체는 돈을 왕창 벌어 이스라엘 국적기 항공사를 사들였다고 한다.

(2020.4.28)

코로나 극복

① 빨리 빨리 정신

우리나라 사람들은 성정이 '빨리 빨리'에 익숙해 있다. 나쁘게 말한다면 느긋하지 못하다는 거다.

이 '빨리 빨리' 정신이 인터넷 속도를 높이는 데 기여했고, 그래서 세계에서 가장 빠른 속도의 인터넷 보급이 이루어진 나라이고, 4차 산업을 이끌어나가고 있는 원동력이 되었다는 건 웬만한 사람들은 다 아는 사실이다.

그런데 이 '빨리빨리' 정신이 코로나 예방에도 그대로 적용되었다. 항만과 공항에서 들어오는 사람들에게 코로나 검사를 '빨리 빨리' 하고, 양성 반응이 나오면 '빨리 빨리' 입원시켜 무료로 치료해주고, 소독도 물론 '빨리 빨리' 하고, 코로나 감염 경로도 '빨리 빨리' 추적하고…….

이러니 코로나 전파 속도가 세계에서 제일 낮다.

결국 대한민국의 방역은 '빨리 빨리' 정신의 승리라 아니할 수 없다. 그리고 세계가 칭송하는 세계 제일의 방역 체계가 되었다.

② 마스크 쓰는 습관

'빨리 빨리' 정신 이외에도 우리나라의 코로나 방역이 성공한 또 다른 이유는 마스크 쓰기가 잘 지켜지고 있었다는 거다.

대한민국 국민들이 선견지명이 있어서 코로나 사태에 미리 대비하기 위한 예행연습이었는지, 이순신 장군의 유비무환 정신을 무의식적으로 이어받은 것인지는 몰라도, 코로나가 번지기 훨씬 이전부터 마스크 쓴 사람들을 심심치 않게 볼 수 있는 것이 우리의 거리 풍경이었다.

우리 국민들은 젊은이, 늙은이, 남성, 여성 할 것 없이 피부 미용을 중시하는 사람들이어서 평소에도 햇볕에 얼굴 탄다고 얼굴에 허옇게 타지 않는 햇빛 차단제를 발랐음에도 불구하고 얼굴엔 선글라스와 마스크를 꼭 쓰고 다니던 습관이 있었음을 무시할 수 없다.

이처럼 평소의 마스크 쓰는 습관이 이번 코로나 팬데믹 상태에서 코로나를 물리치는 데 크게 기여했음은 물론이다.

다른 나라에서는 마스크 쓰면 이상한 사람이라고 눈치를 주던 당시 우리나라에서는 코로나가 아니더라도 마스크가 생활화되었으니, 코로나 바이러스란 놈이 감히 침범할 생각도 못하였을 거 아닌가?

참으로 훌륭한 국민들인지고!

③ 배달의 민족

코로나 극복에 지대한 공헌을 한 것은 우리나라의 배달 문화이다.

손 하나 까딱 안 하고 새벽 2시에 치맥(치킨과 맥주)을 배달해 먹는 민족이 이 세상 어디에 있을까?

정부는 코로나 확산을 막기 위해 '사회적 거리두기'를 강조했다.

그런데 이 말은 잘못된 말이다.

'사회적 거리 두기'라 하면 안 된다. 사람들이 만나면 2미터 이상 떨어져야 하는 것은 '사회적 거리두기'가 아니다. '물리적 거리 두기'이지!!

정부가 말을 잘못 쓴 것이다.

말이 잠시 옆으로 빗나갔지만, 지적할 것은 지적하고 지나가야 한다. 그러나 정부가 '사회적 거리 두기'라 하고, 언론도 비판 없이 '사회적 거리 두기'를 강조하고, 사람들도 모두 '사회적 거리 두기'라 하니 어쩔 수 없이 나두 '사회적 거리 두기'라는 얼토당토하지 않은 말을 그냥 쓸 수밖에.

어찌 되었든 '사회적 거리두기'가 잘 지켜진 것은 우리의 배달문화 덕분이다.

우리의 배달 문화는 인터넷이 발달하면서 더더욱 꽃을 피웠고, 움직이지 않고도 꾸준히 편리를 추구하던 우리 민족의 속성은 배달 문화의 전성기를 맞이하는 데 적극 기여하였다.

장보는 것도, 먹을 것도, 화장품이나 옷, 구두, 아니 심지어는 냉장고, 테레비 등등까지도 전화기와 손가락 하나만 있으면 만사 오케이다.

실제로 코로나 팬데믹 상태에서도 우리나라 경제가 다른 어느 나라보다도 안정적인 이유 중의 하나가 배달 문화에 있다.

비록 소상공인이나 자영업자들 대부분이 코로나 상황 속에서 힘들게 살아나가고는 있으나, 배달업만큼은 성황이다.

자영업자나 소상공인들 가운데에서도 앉아서 손님을 기다리지 않고 적극적으로 배달 문화를 잽싸게 받아들인 분들은. 오히려 더 많은 호황을 누리고 돈을 벌고 있다.

내가 알고 있는 영세업자인 시장통 한 구석의 조그마한 생선횟집도 그렇다. 전화만 한 통하면 생선회를 배달해주는데, 한 두 시간을 기다려야 한다. 그만큼 일이 밀렸다는 거다. 아마도 지금쯤 영세 상인이 아니라 재벌 됐을 거라 생각된다.

어찌되었든 나는 가끔 두 시간 전에 회를 주문한다. 그리곤 따뜻한 방 한 구석에 콕 박혀서 테레비 보며 소주를 한 잔 기울이는 거다.

사람 모이는 데 안 가고, 배달한 음식 먹어가며 집콕하고 있으니, 그 무시무시한 코로나가 그 세력을 전파하려 해도 우리나라에서 '배달'이 있는 한 힘을 못 쓰는 거다.

과연 배달의 민족답다.

④ 대형 냉장고와 저장 음식

코로나 극복의 숨은 공신 중 하나가 우리의 음식 문화이다.

우리나라는 예부터 장류를 비롯한 저장 음식이 발달되어 왔다. 간장, 고추장, 된장 등등은 물론이고 어느 집을 가든 김치는 꼭 있다.

물론 외식문화가 없는 건 아니지만, 코로나와 같은 비상사태 하에서는 이러한 저장 음식이 코로나를 물리치는 데 큰 기여를 한 셈이다.

더욱이 우리나라 어느 집을 가더라도 냉장고 크기는 세계 제일일 거다.

거의 대부분의 집에는 대형 냉장고가 있고, 그 안에는 음식 재료가 꽉꽉 차 있다. 여기에 김치냉장고도 따로 있고, 냉동고를 따로 두는 집도 적지 않다.

문제는 이렇게 큰 냉장고와, 냉동고, 그리고 김치 냉장고에 음식재료가 꽉 차 있다는 거다.

외국 사람이 우리나라 가정을 방문하면 세 번 놀란다는데, 첫째 웬 냉장고가 이리도 크다냐? 둘째, 이 큰 냉장고와 냉동실에 꽉꽉 들어차 있는 음식 재료들! 셋째, 그럼에도 불구하고 손님 왔으니 장보러 가자고 한다는 데 다시 한 번 놀랜다는 거다.

그런데 이건 사실을 뛰어넘어선 진실이다.

어찌되었든 대형 냉장고와 우리나라의 저장 음식들이 이번 코로나 방역에 미친 영향은 엄청 크다.

다른 나라에서는 코로나가 번지기 시작하자 폭동이 일어나 빈 상점에 들어가 약탈을 하는가 하면, 고 슈퍼마켓 등등선 식료품이 동이 나 텅텅 비고 하는 동안에도 우리나라에선 전혀 그런 일이 없었다.

이는 유비무환의 정신으로 평상시에도 대형 냉장고에 음식을 꽉꽉 쟁여 두던 습성 때문에 한두 달간은 시장엘 가지 않더라도 너끈히 견딜 수 있는 저력이 있어서이다.

생활

이와 같이 우리의 음식 문화는 코로나 극복에 지대한 공헌을 한 것이다.

⑤ 의료진의 헌신적 노력과 정부의 대응

우리의 음식 문화, 배달 문화, 빨리 빨리 정신, 마스크 쓰는 습관 등이 우리나라의 코로나 방역에 크게 이바지한 건 틀림없는 사실이겠으나, 여기에 덧붙여 우리 의료진들의 헌신적 노력과 정부의 발 빠른 대응, 그리고 우리 국민들의 이타적 복종심 등을 잊어서는 안 되겠다.

정말 우리 의료진들 수고 많았다.

아마 이들에게 감사를 느끼지 않는 우리 국민들은 없을 거다.

아무리 정부에서 마스크 쓰라고 해도, "그걸 왜 써? 쓰건 말건 내 맘이지!"라고 하는 다른 나라 사람들과 "혹시 무반응 감염이 있을 수도 있으니까 다른 사람들을 위해서라도 내가 솔선수범하여 써야지!"라고 생각하는 이타심 많은 우리 국민들을 어찌 비교할 수 있을 것인가!

대한민국 국민으로서 자부심을 느껴도 좋을 것이다.

(2020.8.11)

재난지원금 I

정부는 추석 전에 코로나 사태로 인한 피해 업종만 골라 재난지원금을 현금으로 선별 지급하겠다고 한다.

적재적소에 지원금을 낭비하지 않고 줄 수 있다는 주장이 그럴 듯하게 들린다.

그렇지만 이 주장에는 문제점이 많다.

첫째, 피해 업종 선별 과정이 추석 전에 과연 순조롭게 이루어질 수 있을까?

어느 무엇을 기준으로 선별할 것인가? 피해 업종을 어찌 정할 것이며, 기준 피해액은 어찌 산정할 것인가?

그리고 선별에서 제외된 업종의 불만과 피해 금액을 어떻게 정하든 그 차상위에 해당하여 지원받지 못하는 자영업체들의 불만은 어찌할 것인가?

생활

결국 형평성의 문제가 사회적 갈등을 야기할 뿐이다.

둘째 선별에 따른 행정력 낭비의 문제이다.

같은 업종도 피해가 다 다를 텐데, 어찌 공정하고 객관적으로 그 피해를 다 조사할 것인가?

설령 객관적으로 공정하게 다 조사한다 하더라도 이에 드는 행정 비용은 어찌할 것인가?

셋째, 지원금을 현금으로 지급했을 경우, 과연 경제적 효과가 있을까?

현금으로 지원하면 지원금 회전율은 1.00도 안 될 가능성이 크다. 지역경제에 미치는 효과는 미미할 것이다.

그리고 피해 업종에 지원하면 그 지원금은 거의 대부분 건물주에게 가는 거 아닐까?

그 가게에 갈 사람들은 가고 싶어도 돈이 없어 못 가는데……. 불쏘시개 없이 장작에 불이 붙을까?

추석 전 지급하는 재난지원금은 지역경제 활성화를 위해서도 지역화폐로 지급하여야 하며, 선별에 따른 낙인 효과나 사회계층간 갈등을 예방하고, 선별에 쓰이는 행정 비용을 절약하기 위해선 국민 모두에게 재난지원금을 지급하고 연말정산 때 종합소득세를 걷으면 된다.

집행 과정이 쉽고, 사회적 갈등을 야기하지 않으며, 지역경제를 활성화에 도움이 되는 이 쉬운 방법을 왜 반대하는가?

재정적자를 줄이기 위해서라고 주장하지만, 우리나라 재정건전성은 재난지원금을 몇 번 더 줘도 큰 무리가 없다는 걸 보여준다.

이재명 지사의 말마따나 5,000만 국민 일인당 30만원씩 100번을

준다고 치면 총 1,500조원인데, 이는 과장된 거고 만약 30번만 준다고 하더라도 총 450조원(우리나라 일 년 예산도 안 되는 액수)이 필요하다.

이는 현재의 부채액을 이에 더한다고 하더라도, 우리 정부의 부채 비율은 110% 정도 밖에 안 된다. 더욱이 30번이나 재난지원금을 줄 리는 없으니 이보다 예상되는 부채 비율은 훨씬 더 낮을 것이다.

이는 다른 OECD 국가들의 부채 비율과 비교할 때, 2019년 10월 기준으로 일본은 237%이고, 미국은 104%이고, 우리나라는 38%이다. 이를 볼 때, 우리나라의 재정건전성은 매우 양호한 상태이다.

현재의 코로나 사태와 경제 침체 등 비상시국임을 감안할 때, 지역 경제 경기활성화를 위해서라도 전 국민에게 재난지원금을 몇 차례에 걸쳐 더 지급해야 한다.

몇 번 더 지급한다고 우리나라 국가재정이 위태로워지는 것은 아니니, 재난지원금을 지급할 시기를 놓치면 안 된다.

이건 포퓰리즘이 절대 아니다.

(2020.9.4)

재난지원금 II

안 주면 입 다물고 하늘만 쳐다보고
준다면 주는 대로 받아만 먹으라네
누구는 자존심 없나 개돼지만 못하네

코로나 피해자는 우리 국민 모두라네
받은 자 못 받은 자 가리느라 고생 말고
묻거나 따지지 말고 차별하지 말거라

줄까 말까 가리는 데 비용은 어찌하고
받은 자 못 받은 자 갈등은 어이할꼬
거기서 터지는 불만 어이 감당할꺼나

코로나 I

그렇게 아낀다고 세금이 절약되나
시간은 급박한데 제대로 가려질까
자기 돈 아니라고 생각 없이 쓰는 건가

코로나 힘든 시기 누구는 힘 안 드나
힘들면 힘들수록 불만은 터져나고
받은 자 못 받은 자 깊은 골 패어가네

경제는 돌고 돌아 흘러야 하는 건데
일부만 현금 주어 그 효과 있을 건가
마중물 놓아두고는 예산 타령 하누나

받은 자 자존심과 못 받은 자 깊은 시름
여기저기 들려오는 불평불만 드높구나
아이야 어이해야만 이 사태를 벗어날꼬?

저놈들 하는 짓이 그렇고 그런 거지
제대로 무엇 하나 알고서 하는 건가
제 딴엔 돈 아낀다고 생색이나 내겠지

(2020.10.15)

생활

통신비 지원?

코로나 사태로 국민들 생활이 핍박해졌다.

정부는 국민 개개인에게 2만원씩 통신비를 지원하겠다고 생색을 낸다. 휴대전화 사용 요금 중 2만원씩 깎아주겠다는 거다.

통신비 지원?

내가 내는 대신 정부가 2만원을 내주겠다는 건데, 말이 그럴듯하지 이는 결국 통신사 배불리기 정책일 따름이다.

우리나라 통신비가 세계에서 제일 비싸다. 통신비의 대부분은 공유재인 전파 사용료인 셈인데…….

국민에게 세금으로 통신비 지원해 준다는 미명하에 통신사에게 이익을 주는 정책이다.

그렇다고 이것이 경제적 효과가 있을까? 전혀 없다.

지역화폐로 지급하는 재난지원금은 소비를 촉진시켜 지역경제를 활성화시키는 경제적 효과가 있다.

그러나 통신비 지원은 그 돈이 즉각 통신사로 들어갈 뿐이지 그 어떤 경제적 효과도 없다. 특히 코로나 사태로 손해를 많이 보고 있는 자영업자들이나 소상공인들에게 미치는 경제적 효과는 전혀 없는 것이다.

통신비 지원이라는 이런 정책보다는 '통신비 인하'를 정책으로 내세워 시행함으로써 국민들에게 혜택을 주어야 한다.

통신비 절반으로 인하해도 통신사 절대 손해 안 본다.

(2020.9.25)

코로나: II

나를 시험에 들지 않게 하옵소서!

코비드 19가 세상을 망쳐 놓는다. 부부 사이를 갈라놓고, 부모 자식 사이를 벌려놓고, 친구 사이를 멀게 한다.

5명 이상 만나지 말라는 정부의 말씀에 철없는 사람들은 대놓고 반항한다. "슬쩍슬쩍 만나면 돼."라고.

교회 셀 모임을 한다는 연락이 왔다.

집사람에게 전화가 왔는데,

"그렇게 모여도 되나요? 5명 이상 모이지 말라는데……."

"괜찮아요. 네 명씩, 네 명씩 남자 여자 따로따로 앉아서 식사하면 돼요."

"우리 서울 갔다 왔으니 일주일 동안 자가격리 해야 돼요."

"우리 셀 사람들 전부 서울 갔다 온 사람들이니 괜찮아요."

강권하다시피 내일 모임을 강요한다.

전부 서울 갔다 왔음 더 조심해야 안 되나? 이해가 안 간다.

집사람은 본디 사람 만나는 걸 좋아한다. 그리고 거절을 잘 하지 못하는 성격이다.

"알았어요. 내일 만나요."

결국 내일 점심 약속을 했단다.

"안 만나는 게 좋은데……. O집사 부부는 사회성이 강해서 셀 식구들을 만나고 싶어 그러겠지만, 될 수 있는 한, 안 만나는 게 좋은디……."

"괜찮대요. 내일 간다고 약속했어요."

"당분간은 이런 모임 안 하는 게 좋지 않을까요? 사람들이 정이 많아서 그러는 건 알겠는데……. 더욱이 남자끼리 여자끼리 모여서 밥을 먹는다니, 그러면 더 위험하잖아요? 만약 한 사람이라도 코로나에 감염되었다면, 부부는 어쨌든 같이 생활하니까 둘 다 감염되었을 가능성이 높고, 한 테이블에 부부끼리 앉았다면 전염되더라도 네 명만 전염되지만, 남자 여자 따로 앉게 되면 여덟 명 전부 다 감염될 거잖아요? 모이더라도 부부끼리 밥을 먹는 게 나을 텐데……."

원래 셀 모임에서도 부부끼리 앉는 걸 선호하는 나다. 예컨대, 회한 조각을 고추냉이 간장에 찍어 먹더라도 부부가 간장종지 하나에 같이 먹는 건 괜찮지만, 다른 사람과 간장종지를 공유하는 건 아무래도 께름칙하기 때문이다.

그런데 왜 부부모임을 하면 남자는 남자끼리 여자는 여자끼리 앉아야 하는지……. 물론 남자끼리, 여자끼리 하는 대화 내용이 다를 수는 있다만.

코로나 II

"그건 그러네요, 그럼 내일 모일 때 얘기해서 바꾸지요, 뭐."

"그런데 왜 자꾸 모이자구 하나⋯⋯? 이제 백신도 맞기 시작하구 그러니까, 좀 기다렸다 만나면 안 되나요? 조금만 참으면 될 텐데⋯⋯."

내가 볼 때, 참으로 한심한 사람들이다. 철없는 사람들이다.

아니 '인간은 사회적 동물'임을 일깨워 주시는 분들이긴 하다.

그렇지만 깨달음보다는 건강이 우선이다.

나 자신의 건강뿐만 아니라 다른 분들을 위해서라도 반대할 것은 반대해야 한다.

무증상 감염도 늘어난다는데 내가라도 혹 감염되어 다른 분들에게 전염시키면 어쩌나?

배운 사람들은 이런 때일수록 시대적 사명감을 가져야 한다. 어린 백성들을 잘 이끌어야 한다.

이런 사명감에 이번 모임에 대해 은근히 반대 의사를 표명한다. 아니 우리 부부라도 솔선수범해야 한다.

그러자,

"지금이라도 안 간다고 하면 돼요. 당신이 그렇게 싫다면⋯⋯."

"그럼 전화해요. 그렇잖아도 너무 피곤해서 좀 며칠 쉬려 했는데⋯⋯. 내일 우린 참석 못한다고."

집사람이 다시 전화를 건다.

"우리 그이가 몸이 안 좋아서 내일 못 갈 거 같아요"

"어지간하면 나오시지 그래요. 예약도 해 놓았는데⋯⋯."

자꾸 괜찮으니 나오란다.

뭐가 괜찮은고? 우리가 안 괜찮다는데.

생활

사람들은 자기 생각으로 남을 재단한다. 그리곤 자기 생각이 옳다고 생각하여 남을 강제한다. 그것이 한국인의 정일 수는 있겠으나…….

"예약은 취소하면 되지 않나요?"

"예약 취소는 거기 가서 해야 하는데, 웬만하면 나오세요."

귀 얇은 집사람이 나를 보는 게 두렵다. 마치 마지못해 "예."할까 봐서다.

그런 적이 어디 한두 번인가!

상대방에게 들릴까봐 소리 내어 "못 간다고 그래요!"라고는 하지 못하고, 고개를 흔들며 계속 손으로만 X자를 그리면서 수신호를 보낸다.

그리고 빨리 전화를 끊기만 기다린다.

그런데 마누라 문제는 그 다음부터다.

전화상으로 간곡히 거절은 했는데, 본심은 가고 싶었던 거다.

전화를 끊은 뒤부터 시련의 시절이 시작된다.

"그냥 가면 되지, 당신도 참 너무 고지식해요. 융통성도 정말 없어요. 마스크만 잘 쓰고 조심하면 괜찮대!"

"이건 융통성의 문제가 아니요. 융통성 부릴 게 따로 있지, 융통성 찾다가 만약, 만약 코로나에 감염되거나 감염시킨다면 그래도 융통성 찾을 거요?"

졸지에 융통성 없는 고지식한 사람이 되어 버린 사람의 항변이다.

"정부에서 5명 이상 모이지 말라는 건, 마스크도 안 쓰고, 막 돌아다니는 조심성 없는 사람들 때문에 그러는 거지. 우린 괜찮아요."

"참, 당신은 오만한 사람이군요. 하느님 믿는 사람 맞아요? 어떻게 우린 괜찮다고 확신해요? 그걸 어찌 알아요? 마스크 쓰고 야외에서 파

코로나 II

크 골프하는 것까진 나도 괜찮다고 봐요. 그렇지만 같이 밥 먹는데 마스크 쓰고 밥 먹는 사람이 어디 있어요? 그리고 밥만 먹고 밀폐된 공간에서 빨리 나오나요? 앉아서 이 얘기 저 얘기 할 거 아니요? 그렇잖아도 목소리 큰 부산 사람들인데……. 사람이 삼갈 건 삼가고, 정부에서하지 말라면 하지 말고 좀 참고 기다리면 될 것을……."

"정부에선 그런 식으로라도 해야 되니까 그런 거지, 그렇게까지 안해도 돼요. 너무 정부 하라는 대로 안 해도 괜찮아요."

참 큰일 날 소리다. 이 세상 사람들이 전부 그렇게 생각하면, 세상이 어찌될까?

나도 현 정부에 못마땅한 것들이 많지만 정부 말이라 따르는 것이아니라 다른 사람들을 위하여 삼가자는 건데, 이런 숭고한 이타주의적생각은 무시하고 정부 정책을 무조건 맹종하는 사람으로 몰아붙인다.

그렇지 않아도 사람들은 정부에 대해 불신이 팽배한데, 그렇다고 정부의 지침을 우습게 생각하면 되는가?

상황을 제대로 판단하지 아니하고, 자신의 생각만이 옳은 것이라 밀어붙이는 이 오만을 어찌할 거나?

결국 목소리는 커지고 서로 생각이 다르니 부부간 갈등이 증폭된다. 서로 생각이 다르니 다툼이 일어날 수밖에 없는 것이다.

정부에서 금지하는 모임을 편법으로 주선함으로써 늘 정답던 우리부부를 갈라놓은 셀 리더가 원망스럽다.

목소리만 커지는 게 아니다. 집사람은 삐져가지고는 밥도 안 차려준다. 되게 토라져 버린다.

이른바 마누라 속마음과 겉으로 나타난 태도가 다른 거다.

생활

그 마음을 알아차리지 못한 내 잘못이 크다.

"오, 주여 왜 저에게 이런 시련을 주시나이까?"

나오느니 이 말밖에 없다.

이럴 바에야 왜 "지금이라도 전화해서 안 간다고 하면 돼요."라고 하면서 전화를 하나? "그냥 이번에는 약속을 했으니 그냥 가요."라고 했음 우리 부부 정말 조심성 있게 다녀왔을 거다.

난 입으로 말하는 걸 그대로 받아들인 죄밖에 없다.

입말하고 속맘하고는 다른데 그렇게도 눈치가 없으니……. 마누라 구박받아도 싸긴 싸다.

어쩜 내 생각대로 모임에 안 나가게 되었으니 그 대가로 마누라 구박을 당연히 받아야 하는 걸까?

그렇지만 억울한 느낌이 드는 이유는 무얼까?

"뭐, 그리 코로나가 무서워서……. 그래 죽으면 죽는 거지 뭐. 당신은 교회 모임을 원래부터 싫어했으니 안 가려고 그런 거 아니유? 문 사장 부부가 식사하자고 했으면 나갔을 거 아니에요?"

"그건 경우가 달라요. 문 사장 부부와 만나는 건, 설사 감염이 되도 부부끼리니까 어쩔 수 없다지만, 이건 5명 이상 모이는 거니 아무래도 감염 확률이 높은 거지요. 그리고 부부 두 사람에게 그치는 것이 아니고 여러 사람에게 영향을 미치는 거 아닌가요? 이래서 교회 모임 때문에 코로나가 확산된다고 언론이나 정부에서 야단인 거여요. 하느님 빽 있다고, 그것이 참믿음인 양 조심하지 않고 우린 만나도 된다는 오만이 결국 교회를 욕보이는 거지요."

대화가 무르익어갈수록 이제는 토라짐을 넘어서 도끼눈을 뜨고서 막 해댄다.

밥을 안 주는 것도 서러운데, 아내는 이제 방으로 들어가 문을 걸어 버린다.

"당신 얼굴이 마귀 같아요."

귀신을 안 믿는 내가 봐도 얼굴에 마귀가 씐 듯하다. 표정이나 말이 귀신이 씌지 않으면 절대 나오지 않을 형상이다.

그린 얼굴을 보면서도 이를 반면교사로 삼아 나는 절대 그러지 말아야 된다고 생각한다.

그래서 속으로 기도한다.

"주여. 제발 시험에 들지 않게 해 주시옵소서!"

(2021.3.10)

변경된 점심시간

집에만 있으니 심신이 고달프다. 마음은 갑갑 울울하고, 몸은 여기저기 쑤시는가 하면 온몸에 기운이 빠진다.

매일 세상에서 제일 편한 자세로 누워 소설이나 텔레비전을 보다가 몸이 배기면 이리 뒹굴 저리 뒹굴 자세를 교정해도 눈  은 피로해져서 그냥 감기고, 허리엔 힘이 빠져 조금만 구부려도 허리가 아프다.

반듯이 허리를 펴면 통증은 없어지나, 기운이 없어 오래 가지 못하고 다시 구부렸다 폈다를 반복해야 한다.

사이좋은 마누라하고 서로 얼굴 보며 웃는 것도 한두 번이지, 매일 하루 24시간을 마주 보고 있어 봐라!

코비드 19가 가져온 부작용이다.

밖으로 나돌아 다녀야 하는데, 전혀 그러지 않으니 생기는 병이다.

코로나도 무섭지만, 이 병도 무서운 거다. 그러니 코로나 감염 위험을 무릅쓰고라도 밖에 나들이를 해야겠다.

이왕 나설 거면 이참에 삼시 세끼를 차려내야 하는 마누라 생각도 해야겠다 싶어 9시 반쯤 집을 나선다.

이왕이면 맛있는 맛집을 찾아 점심을 먹는 것이 좋을 듯하여 맛집부터 찾아낸 후, 이 몸에 맞는 산책길을 찾아 목표지를 정한 곳이 청사포이다.

청사포에선 우선 차 세우기도 좋고, 숲길도 평탄하여 걷기에 좋고, 숲길 입구에 있는 OOO보리밥집의 음식이 맛있고 건강식이어서 이곳으로 정한 것이다.

9시 반쯤 집을 나선 것은, 좋은 산책로에서 산책을 한 시간 정도 하고 나서, 11시쯤 일찍 점심을 먹고 되돌아오면 되겠다는 생각 때문이었다.

11시에 점심을 먹으려는 이유는 아침을 부실하게 먹어서가 아니다.

여기에는 심오한 뜻이 있다. 보통 점심식사가 12시에 시작되나 좀 일찍 가서 사람들이 없는 곳에서 식사를 하고 얼른 나와야 코비드 19를 피할 확률이 높다는 얄팍한 생각 때문이다.

잘 알려진 맛집은 보통 12시에 가면 사람들이 이미 바글바글하여 줄을 서야 하기 때문인데, 줄 서서 기다리는 것도 워낙 싫고 사람들이 바글바글한 곳에서 식사하는 것도 싫다.

그러나 11시에 가면 처음 입장하는 것이 되니까, 사람들도 별로 없어 코비드 19에 감염될 확률도 팍 줄일 수 있을 게다.

9시 반에 집을 나서 차로 20분쯤 걸려 청사포로 가서 차를 세운 후 청사포-구덕포 숲길을 걸어 송정 바닷가까지 걷다가 되돌아오니 딱 1시간 정도 걸려 이제 11시가 조금 못 되었다.

OOO보리밥집에 들어서니 1등이다.

역시 사람은 머릴 써야 혀!

보리밥 대신 쌀밥을 시키고, 파전 하나를 시킨다.

곧이어 음식이 나오고 막 식사를 즐기려하는데, 사람들이 물밀듯이 들어와 음식점이 꽉 들어찬다.

내가 시계를 잘못 봤나?

시계를 보니 딱 11시이다.

시계를 잘 못 본 게 아니라, 생각을 잘못한 거였다.

11시에 일찍 점심을 먹어야 코비드 19 감염에서 좀 더 자유로울 것이라는 얄팍한 생각을 나만 한 게 아니라 다른 사람들도 똑같이 했다는 것을 간과한 것이다.

아이구! 다른 사람도 똘똘하구나!

코로나 사태 이전에는 12시가 정상적인 점심시간이었는데, 코로나 때문에 점심시간이 11시로 바뀐 거였다.

이건 다른 이름난 음식점도 마찬가지이다. 11시엔 바글바글하고, 12시가 넘으면 조금 한가해진다.

코로나가 만들어낸 변화이다.

(2021.3.25)

코로나 II

일요일 퇴근시간

오늘은 오후에 집에서 나와 청사포-구덕포 숲길을 걷는다.

일요일이라서 주중보다는 이 숲길에도 사람들이 많이 다닌다.

그렇지만 가끔가다 사람들이 안 보일 때면 마스크를 벗어 활활 털고 숨을 들이 쉬고는 저 앞에 사람이 보이면 얼른 마스크를 쓰고 걷는다.

천천히 걷다가 내친 김에 구덕포에서 데크로 만들어 놓은 길에서 바닷가로 내려가 송정 바닷가까지 걷는다.

데크로 만든 길은 사람들이 너무 많아 북적이지만, 바닷가 길은 거의 사람이 없어 숨쉬기에 좋다.

그리고 다시 되돌아서 철길을 건너 숲길로 들어선다.

시간은 네 시가 훨씬 지났다.

큰길가에 세워놓은 차를 타고 집으로 향한다.

다섯 시가 가까운데 해운대 바닷가 길이 꽉 막힌다.

생활

아무리 일요일이라도 평소에는 이 시간에 막히는 길이 아닌데…….

옛날 일요일 같으면 해운대나 송정 바닷가, 또는 조금 더 멀리 대변이나 일광 등에서 놀다가 저녁을 사 먹고 집으로 돌아가는 까닭에 7시나 8시가 되어야만 막히던 길이다.

지금 시간이면. 저녁 먹기에는 아주 이른 시간인데도 불구하고 시내 들어가는 차들로 벌써부터 북적인다.

아마도 코로나 때문에 저녁을 밖에서 사 먹는 사람들이 많이 줄어들어 그런 모양이다.

코로나가 해운대에 일요일 퇴근시간 러시아워를 오후 7시에서 오후 5시로 변경시켜 놓은 것이다.

코로나가 가져온 대단한 변화이다.

(2021.2.22)

부익부 빈익빈

[1] 코로나 사태로 고통 받는 사람들이 많다.

한편 코로나 때문에 돈 버는 사람들도 있다. 우리 경제를 보더라도 수출도 잘되고, 주식도 오르고……. 결국 재벌들은 돈을 번다.

IMF 사태나 코로나 같은 비상사태 때에는 돈이 돈을 버는 거다.

이런 비상사태 때는 결국 중소상공인 등 서민들만 죽어난다.

예컨대, 제일 타격을 많이 받는 업종 중의 하나가 조그마한 식당들이다. 대부분의 식당들은 손님이 없어 한숨만 내쉬며 허덕인다.

그렇지만 그렇다고 모든 식당들이 다 그런 것은 아니다. 그 가운데에서도 잘되는 집은 잘된다.

재빨리 배달 직원을 고용한 싸고 맛있는 식당은 호황이다. 눈코 뜰 새 없이 바쁘다. 조그만 식당이건 큰 식당이건 음식을 싸고 맛있게 만들고, 배달을 해주는 음식점은 코로나 때문에 돈을 많이 번다.

생활

내가 사는 동네 재래시장 안에 있는 조그마한 횟집도 그렇다.

가게 안에 테이블이 세 개밖에 없는 조그만 횟집인데, 부부가 아주 성실하고, 횟값도 싸고, 회도 참 맛있는 집이다.

코로나 이전에는 가끔 들렸지만, 코로나 이후에는 전혀 가지 않고 전화로 주문하여 배달해 먹는다. 물론 배달료는 따로 주어야 하지만, 배달해 먹는 것이 '코로나 건강' 상 좋으리라는 생각 때문에 가끔 회를 주문해서 먹곤 한다.

코로나 이전의 경우에는, 저녁 5시쯤 회를 시키면 보통 6시쯤 배달해 주는데, 코로나 사태 이후엔 5시에 전화를 해도 주문이 밀려 7시쯤 갈 거라고 한다.

코로나로 인해 더 바빠진 것이다.

그러니 주문하는 시간도 빨라져야 한다. 제때 먹으려면!

2 코로나로 인하여 점심시간이 1시간 앞당겨졌다고는 하나, 역시 맛있게 하는 집은 문전성시이다.

전혀 코로나 영향을 안 받는다.

우리 집 앞에는 유명한 돼지국밥집이 있고, 유명한 중국음식점이 있다.

이런 집엔 늘 손님들이 늘 복작거린다.

중국집은 매주 화요일엔 놀고, 다른 날엔 11시부터 문을 여는데 오후 2시까지 주문을 받고 3시면 문을 닫는 집이다. 처음엔 저녁 장사도 했으나, 유명해진 다음부터는 저녁은 안 하는 집이다. 그런데도 사람들이 몰려든다.

한편 돼지국밥집은 우리 아파트 베란다에서 내려다보면, 훤히 보이는 집인데, 11시부터 사람들이 줄을 서서 기다린다.

여기 역시 코로나와는 상관없이 하루 종일 장사가 잘되는 집이다. 싸고 맛있으니 사람들이 용케 알고 찾아온다. 그리고 기다린다.

그러니 예전엔 자주 이용하던 집들이지만, 코로나 이후에는 가질 못한다.

이 집들은 우선 기다리기도 싫은데, 식사를 하려면 식당이 꽉 차는 바람에 가기가 꺼려지는 것이다. 아니, 꽉 찬 것까지는 좋다. 마스크를 하고 얼른 식사만 하고 나오면 되니까!

그런데, 부산 사람들은 중국 사람들 서러워 할 정도로 목소리가 높다. 식사할 때도 조용히 먹기만 하는 게 아니라 시끄럽다. 고성방가 수준이다. 왜 그리 시끄러운지!

말할 때, 재채기할 때, 기침할 때 바이러스 균이 많이 나온다는 뉴스를 보았으니 불안한 거다.

어찌 되었든 내가 안 가도 돈은 잘 번다. 코로나와 상관없이!

코로나 검사 I

어제 저녁 전화기에 단양보건소에서 보낸 메세지가 뜬 것을 발견하였다.

그 내용인즉, 4월 25일 11:28~12:30 단양OOO식당에서 식사하신 분들은 가까운 선별진료소에서 코로나 검사를 받으라는 것이었다.

비록 단양보건소에서 보내온 메시지 원문은 "4/25 11:28~12:30 단양 OOO식당에서 식사하신 분들은 가까운 선별진료소에서 식사하시기 바랍니다."라는 것이었으나, 선별진료소가 식당이 아닌 바에야 "선별진료소에서 식사하시기 바랍니다."라는 말은 "선별진료소에서 상담하거나 코로나 검사를 하라."는 말의 오타임이 틀림없다.

우린 개떡같이 말해도 찰떡같이 알아듣는다.

이를 본 순간부터 주내는 마음이 불안해지기 시작한다. 당장 단양군 보건소로 전화를 한다.

일요일 밤인데도 전화를 받는다.

코로나 II

"이러이러한 문자를 받았는데, 이게 무슨 말입니까?"

"코로나 확진자하고 동선이 겹쳤다는 말이니까 가까운 선별진료소로 내일 아침 전화하셔서 진단검사 예약하시고 진단 받으세요."

"우리가 점심 먹을 때 사람도 없었는데……. 몇 시에 확진 자가 다녀갔나요? 열도 안 나는데……."

"그건 잘 모르겠고, 어찌되었든 확진 자와 동선이 겹치니까 검사받으세요."

내가 옆에서 단양보건소에서 온 메시지를 보여주며, 숨죽인 작은 목소리로

> [Web발신]
> 단양군 보건소
> 안내문자입니다.
>
> 4/25
> 11:28~12:30
> 단양OOO식당에서 식사하신 분들은 가까운 선별진료소에서 식사하시기 바랍니다.
>
> ☎문의:
> 043-420-3261~3, 3674-5

"여보, '그곳에서 보내준 메시지에는 선별진료소에서 식사하라고 나왔는데, 메뉴가 뭐예요?'라고 물어봐요."

말하면서도 저절로 웃음이 낄낄 나온다.

내가 이 메시지의 진정한 뜻을 몰라서 물어보라 한 건 물론 아니다. 주내의 불안한 마음을 풀어주기 위해 그리한 것이다.

전화를 끊고 우리 둘은 배꼽을 잡고 웃는다.

단양보건소에서 문자 발송하시는 분이 '코로나 검사 받으라'면 문자 받은 사람들이 불안에 떨 것을 염려하여 '진단받으라'는 말 대신 '식사

하시라'는 말을 써 넣은 것이라면 정말 훌륭한 분이다. 위트가 있는 분이다. 불안해 하더라도 일단은 웃음을 주니깐.

어찌되었든 내일 아침엔 선별진료소 전화번호를 찾아 진단 예약부터 해야 한다.

그러기 위해서는 선별진료소 전화번호부터 알아내야 한다.

그래서 인터넷을 뒤진다.

인터넷에는 부산 시에서 코로나 진단받을 수 있는 선별진료소 명단이 전화번호와 함께 좌악 나타난다.

이 가운데 어디로 전화를 할까?

분명히 진단검사를 받아야 할 것이니 주차하기 편한 곳으로 해야겠다 싶어 OOO보건소 전화번호를 적어 놓는다.

일의 발단은 다음과 같다.

서울에 볼일이 있어 주내와 함께 서울 갔다 내려오는 길에 단양 도담삼봉에 들렸다가 온 것이 문제였다.

그눔의 코로나 땜에 기차나 버스를 이용하지 않고 자가용으로 서울을 다녀오는 거였다.

내려오면서 다섯 시간 이상 운전해야 하는데, 중간에 점심을 해결해야 한다.

그래서 이왕이면 옛날부터 사진으로만 보았던 단양의 도담삼봉을 들려 점심을 먹고 부산으로 가기로 한 것이다.

그런데 인터넷에서 단양 맛집을 찾아 제일 평점이 좋은 곳으로 골목길을 몇 번이나 돌고 돌아 찾아갔으나, 아이구, 하필이면 오는 날이 장

날이라고, 문은 굳게 닫혀 있다. '일요일엔 휴업'이라는 종잇조각만이
문 앞에 장식처럼 달려 있는 것이다.

다시 다른 식당을 찾아 헤매다 보니 11시가 넘었다. 코로나 때문에
이른 점심을 먹기로 작정했지만, 벌써 11시가 넘은 것이다.

더욱이 좁은 골목에는 차를 세울 수가 없어 경치 좋은 강변주차장에
세우고 걸어야 하는데, 걷는 건 좋지만, 강변 주차장에도 이미 차가 다
차지하고 있으니, 계속 이리 갔다 저리 갔다 식당을 중심으로 도는 것
이었다.

겨우 강변의 시영주차장에 빈자리가 있음을 발견하고 차를 세운 후
○○○식당을 찾아 들어갔다.

식당은 불경기를 예고하고 있는 듯, 저쪽 먼 테이블에 노인네들 3명
이 식사를 하고 있을 뿐 텅 비어 있었다.

우린 이들과는 머~얼리 떨어진 식탁에 앉아 음식을 주문한다.

음식이 나올 때쯤, 저들은 돈을 내고 나간다.

우리가 식당을 전세 낸 거 같다.

식사를 하고 바로 마스크를 쓰고 나온 것이 전부였는데, 이런 메시
지가 온 것이다.

주내는 걱정이 태산 같다.

"내일 보건소에 갔다가 양성이 나오면 집에도 못 오고 바로 병원에
수용되는 거 아닌가요?"

"코로나 환자를 수용할 병상이 넉넉하지 않으니 아마 집에서 자가격
리하라고 할지도 몰라요."

"우린 아무 증상도 없는데……. 만약 양성이 나오면, 챙피해서 어쩌

나? 엊그제 만난 OOO하고, OOO도 검사받으라 하면 이거 미안해서 어쩌지요?"

"할 수 없는 거지요. 뭐, 누가 코로나 걸리고 싶어 걸린 것도 아니고, 아니 아직 진단도 하기 전에 웬 걱정이 그리 많아요. 미리 걱정하는 건 쓸데없는 걱정이에요. 자, 이제 그만 내일을 위해 잡시다."

그 다음 날 그러니까 오늘, 아침을 먹고 OO보건소로 전화를 한다.

"단양보건소에서 연락받고 코로나 진단 예약하려고 전화 했습니다."

"예약은 필요 없고, 오후 2시부터 4시 반까지 진단을 하니, 그 시간에 오세요."

일요일인데도 선별진료소를 운영한다니 의료진들이 고맙다는 생각이 든다.

점심을 먹고 나갈 채비를 한다.

"오늘 진단검사 결과는 언제 나와요?"

"테레비를 보니까 15분이면 나온다던데……."

"그럼 집안 정리를 하고 가야겠네요. 갔다가 양성 나오면 바로 병원으로 갈지도 모르잖아요."

"그렇네. 우린 병원으로 직행하고, 의료진들이 들이닥쳐 우리 집 소독하고 엘리베이터도 소독하고, 막 그러지 않겠어요?"

"그나저나 우리 아파트 사람들에게 폐를 끼쳐 어쩌나?"

"일단 그건 나중에 생각하고 집이나 치웁시다."

그러면서 집안을 정리하기 시작한다.

오랜만에 베쿰을 하고, 탁자 위의 지저분한 것들을 치우고 정리한다. 주내는 부엌과 베란다를 치우고 청소한다.

이것도 안 하다 하니 꽤 시간이 걸린다. 오랜만에 중노동이다.

어느 정도 집안이 정리된 다음 시간을 보니 벌써 3시가 넘었다.

차를 타고 ○○보건소로 간다.

주차장으로 들어가면서 왼쪽을 보니 천막이 쳐 있고, 우주복을 입은
의료진들이 너댓 명 보인다.

선별진료소를 따로 찾을 필요가 없다.

차를 세우고 줄쳐 놓은 길을 따라 들어가니,

"어찌 오셨어요?"

"단양보건소에서 이런 연락이 와서……."

전화기의 메시지를 보여준다.

"진단 신청서를 쓰셨어요?"

"아니요. 어제 전화했더니 당직자가 오늘 아침에 예약하라고 해서
아침에 다시 전화했더니, 예약은 필요 없다면서 2시부터 4시 반 사이에
오라고 해서 왔어요."

"그럼 이리 오세요. 일단 손 소독부터 하시고, 비닐 장갑을 끼시고
이거 작성하세요."

앉아서 시키는 대로 신청서를 작성한다. 주소, 연락처, 오게 된 경
위, 증상 등등.

우주인은 신청서를 거두어간 다음, 내 이름이 쓰인 진단키트와 진단
검사 후 어찌해야 하나를 적은 종잇조각을 주면서 줄을 세운다.

여기에도 또 다른 우주인이 있다.

주내는 벌써 내 앞의 앞에서 진단소로 들어선다. 내 앞에는 어떤 노

인네 한 분이 얌전히 서 있다.

나는 이 분 뒤에 서야 하나, 주내 따라서 들어가야 하나 머뭇거린다. 지난 선거 때도 그렇고, 우린 부부가 일심동체라는 말을 굳게 믿는지라 둘이 늘 함께 움직여온 습관 때문에 노인 뒤에서 앞으로 나갈까 말까 망설인 것이다.

그런데, 우주인의 호통소리가 들려온다.

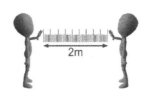

"앞에 분에서 2미터 떨어지세요."

에이! 한 소리 들었다.

말없이 노인네 뒤에서 2미터 정도 떨어진다.

내 앞의 노인네가 진단하는 천막으로 들어간 후, 드디어 내 차례다.

진단소엔 역시 헬멧을 쓴 우주인이 유리창 너머에서 장갑 낀 손만 내밀고 명령한다.

"진단 키트를 여세요."

말없이 복종한다.

우주인은 진단키트에서 성냥개비보다 조금 긴 솜털 달린 막대기를 가져간 후,

"이리 가까이 콧구멍을 대세요."

한 걸음 다가가 콧구멍을 디리 민다.

그러자 이 우주인 왼쪽 콧구멍을 콱 찌른다. 무자비하게!

움찔하며 반사적으로 뒤로 물러선다. 눈물이 팽 돈다.

"그러시면 안 됩니다. 가까이 오세요. 다시 해야 합니다."

이제는 '한 걸음 앞으로'가 주저된다.

그렇지만 어찌하나? 할 수 없이 다시 콧구멍을 디민다.

좀 살살해도 될 텐데⋯⋯. 일요일 근무라 심술이 났나? 속으로만 생각한다.

다시 콧구멍을 콰악 쑤신다.

콧속이 시큼해지면서 눈물이 콱 솟는다.

살살 돌려서 콧물을 채취하면 어디 덧나나? 갑자기 기분이 나빠진다. 갑자기 습격을 받은 내 왼쪽 콧구멍에선 불이 나는 것 같기도 하고, 아픈 것 같기도 하고⋯⋯. 여하튼 묘한 기분이 든다. 별로 좋은 기분은 아니다.

자동차 앞으로 가며 주내에게 묻는다.

"당신도 콧구멍을 콱 쑤셨어?"

"응."

"아니 살살 작대기를 돌려가면서 콧물을 채취하면 안 되나? 콧구멍이 쐐 하니 아픈 것 같기도 하고 영 기분이 안 좋네."

"나는 그렇게까지는 아닌데⋯⋯. 그러게 그런 허름한 줄무늬 잠바를 입지 말고, 넥타이 매고 깔끔하게 하고 왔음 그런 대우를 안 받지요."

"아니 허름한 잠바를 입던, 뺀지르르한 양복을 빼 입던 나는 나 아닌가요? 옷차림보고 어떤 이는 살살하고, 어떤 이는 콱 쑤시고 그러면 되는가? 나는 늘 나인데 옷차림에 따라 대우를 달리 했다면, 고건 콧구멍 쑤시는 우주인 인격에 문제가 있는 거지!"

"당신 말이 맞아요. 그렇지만 현실은, 대부분의 많은 사람들은, 겉만 보고 대하는 게 보통이니, 당신도 대우 받으려면 앞으로 잘 채려 입어요."

아하, 그렇구나! 또 다른 깨달음을 얻는다.

내가 만약 대통령이나, 아니 대통령까지는 아니고 부산 시장이라도 되었다면, 아마 우주인은 살살 콧물을 조심스레 채취했을 것이다.

아마도 그 우주인은 일요일인데도 쉬지 못하고 남의 콧물을 채취하느라 신경질이 났을지도 모른다. 그래도 그렇지…….

내가 아무리 깨끗하고 잘났더라도, 그걸 모르는 상대방은 나의 겉모습만 보고 나를 상대한다.

물론 상대방이 인격자라면 겉모습에 상관없이 대통령이나 거지나 똑같이 대우해줄 것이지만, 불행히도 그런 인격자는 거의 만나기 어려운 세상이니…….

"거지를 보면 나 보듯이 하라. 내가 거기에 있다."고 예수님이 말씀하셨지만, 예수님 말씀을 늘 가슴에 품고 있는 사람이 어디 있나?

아마도 내 콧구멍을 콱 쑤신 그 우주인은 분명 인격자가 아닐 것이다. 예수님 말씀이 필요한 그냥 보통사람일 거다.

그렇지만, 우리 국민 모두가 다 기독교 신자는 아니니, 예수님 말씀을 모르는 사람도 분명 많을 게다.

그러니 적어도 생각이 있는 대통령이라면, 진단검사 시 피진단자가 불쾌하지 않도록 콧물을 살살 채취하라고 지시했어야 한다고 생각한다.

어쩜 주내 말대로 그 우주인이 인격자이길 기대(?)한 내가 잘못이다. 나의 오만이다. 반성한다.

그래서 이 담부터는 뺀지르르하게 입고 다녀야겠다고 굳게 결심한다.

그리고 적어도 이 글을 읽으시는 분들이 만약, 만약 진단검사를 받게 된다면, 뺀지르르하게 입으시고 콧구멍 들이대기 전에 반드시 공손하게

"콧물 채취 살살 좀 해주세요."

라고 말씀하시길 바란다. 그래야 후환이 없다.

집으로 오면서 아까 우주인이 준 종잇조각을 보니, 별거 없다. 검사 결과는 내일이나 모레 오전 10시부터 12시 사이에 전화로 통보되니, 판정이 나올 때까지 마스크 잘 쓰고, 자가 격리하라는 내용이다.

집으로 돌아오니, 우리 집 같지 않다. 거실 마루가 밴들밴들하다.

검사 결과가 바로 나오지 않고 하루나 이틀 뒤에 나오는 걸 진즉 알았으면, 집안 청소를 마라 할 필요가 없었는디…….

"괜히 청소했네. 억울해 죽겠네!"

"그래도 깨끗하니까 좋네!"

원래 이러고 살아야 하는디, 평소 게으른 게…….

저녁을 먹고 난 후, 또다시 걱정이다. 양성이면 어쩌나? 이웃 사람들에게 폐를 끼치면 안 되는디…….

그냥 기도한다.

"하느님, 오늘 주신 교훈 잘 잊지 않겠습니다. 앞으로 밖에 나갈 땐 뺀지르르하게 입고 나갈 것이며, 집안 청소도 늘 깨끗이 하고 살겠습니다."

"그런데도 설마 내일 결과는 음성이겠지요? 만약 양성이면, 우리 윗

층의 정 사장도 콧구멍 콱 쑤셔야 하고, 아래층의 공 사장도 콧구멍 콱
쑤셔야 하고, ○○ 엄마도 콧구멍 콱 쑤셔야 하고, 또 위에 윗층에 사는
김 교수도 콧구멍 콱 쑤셔야 하고……."

"그러니 이분들이 우릴 원망하지 않게 해주시옵소
서! 아멘."

그리고 다음날 아침 코로나 진단 결과가 나왔다.

우찌 되었을까?

다행히도 정 사장도, 공 사장도, ○○ 엄마도, 김 교수도, 또 ○○도
우리 땜에 콧구멍 콱 쑤시며 눈물 팽 도는 일은 없었다.

휴! 정말 다행이다.

(2021년 5월 1일부터 3일 사이에 있었던 일)

코로나 검사 Ⅱ

미국에서 밝은이 가족이 왔다.

코로나에도 불구하고 부모님 뵈러 휴가를 얻어 나온 것이다.

기특한지고!!

밝은이는 뉴욕의 병원에 근무하며 지난 해 4월 코로나 환자로부터 감염되어 매우 심하게 앓았으나 결국 병을 이겨내었다.

처음에는 의료진임에도 코로나 진단 검사를 안 해 주고--아니 진단 키트도 병상도 모자랐던 때이니 못해 준 것이겠지만--결국 항체가 생기고 다 나을 즈음에야 코로나 진단 검사를 통해 확진 판정을 받았다 하여 미국이 미개국인 줄만 알았었다.

그 이후 밝은이는 병원에 근무하는 까닭에 매주 코로나 검사를 받는다고 한다.

물론 밝은이의 경우 완치되어 항체가 생겼지만, 그럼에도 불구하고 병원 방침에 따라 코로나 예방주사인 화이자 백신을 두 차례나 맞았다고 한다. 결국 세 번이나 예방주사를 맞은 셈이 된 거다.

한편 밝은이를 포함한 모든 의료진들은 매주 코로나 진단 검사를 받는다고 한다.

며느리인 지혜 역시 화이자 백신을 두 차례 맞았다고 한다. 다만 손녀인 승아는 10살밖에 안 되어 예방주사를 맞지는 않았다는데…….

귀국하면서 뉴욕 영사가 발행한 예방주사 맞은 증명서(격리 면제서)를 들고 왔으나, 코로나 진단 검사는 진단 검사대로 받아야 했다.

지혜와 승아는 6월 25일 입국하였고 밝은이는 병원 사정에 의하여 7월 22일 입국하였는데, 코로나 진단검사는 물론 격리 면제서도 소용없이 자가 격리를 해야 했다.

문제는 6월말까지 입국한 격리 면제서를 지참한 사람은 2주간 자가 격리를 해야 했고, 7월 1일부터는 이 방침이 바뀌어 7월에 입국한 격리 면제서를 지참한 사람은 자가 격리를 하지 않아도 된다 한다.

결국 지혜와 승아는 6월 25일부터 7월 9일까지 자가 격리를 하였는데, 그 동안 승아가 답답하여 죽을 뻔 했다 한다.

"이 방침이 바뀌었으면 6월 입국한 사람들도 7월부터는 자가 격리를 면제시켜 주어야 하는 것 아닌가?"

지혜가 방역 당국에 문의해 보았지만, 로봇처럼 "안 된다"는 대답만 되풀이될 뿐이어서 꼬박 2주 동안 집안에 가쳐 있어야 했다.

이런 불합리가 어디 있는가?

똑같은 자격을 가진 사람들에게 누구는 괜찮고 누구는 안 된다 하니…….

코로나 II

그렇다고 7월 입국자에게도 2주간 자가 격리를 해야 한다고 주장하는 것은 결코 아니다.

공무원들이 자기 책임을 지지 않으려고 법(규칙)대로 할 것을 강요하는, 레드 테잎(red tape: 형식주의)의 폐단이 여기에도 등장한 것이다.

방역을 철저히 하는 것은 좋으나, 규정을 개정하든 방침이 바뀌었든 국민들을 위하여 이런 것까지 세세히 신경을 써 주었으면 좀 좋을까?.

여하튼 6월 말에 입국한 지혜와 승아는 입국 다음날 진단검사를 받아야 했는데, 역시나, 콧구멍을 '콱악' 쑤시는 바람에, 지혜는 다섯 번이나 콧구멍 쑤심의 고난을 겪은 다음에야 통과되었고, 승아는 콧구멍을 단번에 콱악 쑤시는 바람에 코피를 많이 흘렸는데, 집에 와서도 사흘간이나 코피를 흘렸다.

이걸 생각하면 지금도 정말 화가 많이 난다.

어린 아이를 살살 달래면서 검사하지 않고!

이건 정말 전혀 과장이 아니다. 나는 진실을 말할 뿐이다.

밝은이는 7월 22일 입국하여 그 다음날 보건소에 가서 진단검사를 받았다.

가기 전에 "제발 살살 해주세요."라고 간곡히 부탁하라고 일렀건만, 격리 면제서도 소용없고, 이런 공손한 부탁도 소용없이 콧구멍 '콱악' 쑤심을 받았다 한다.

그런데 이런 '콱악' 쑤심은 의료진들이 교육받은 대로 하는 것이지 결코 사감이 있다든가. 이 무더위에 우주복 차림으로 근무하며 생겨난 짜증이나 불만 때문은 아니라는 것이다.

생활

미국에서도 처음에는 '콱악' 쑤셨다는데, 지금은 피검사자가 검사자 앞에서 스스로 콧구멍을 쑤실 수 있게 되었다고 한다.

밝은이는 병원에서 매주 한 번씩 진단 검사를 받으면서 알게 된 사실이다.

이렇게 된 이유는 콧구멍 '콱악'쑤심에 대한 많은 불만과 더불어 의료진들의 연구 결과 때문이라고 한다.

곧, 검사자가 '콱악' 쑤셔대는 거나 피검사자가 살살 콧구멍에서 콧물을 건져 내는 거나 진단 검사 결과에는 별 다름이 없다는 것이다.

이후, 콧구멍 '콱악' 쑤시는 것을 택하든지, 아니면 스스로 검사자 앞에서 검사자 명령에 따라 자기 콧물을 스스로 추출해 내는 것을 선택하는지는 피검사자의 결정에 따른다는 거다.

이걸 보면 역시 미국은 민주주의 나라이고 선진국이다.

미국도 잘 하는 것이 있다.

우리나라 역시 민주주의 국가이고 선진국인데, 왜 많은 사람들이 콧구멍 '콱악' 쑤시는 것에 불만을 제기해도 못들은 체 하는 걸까?

밝은이 말에 따르면. 검사자가 면봉을 주면서

"오른쪽 콧구멍에 넣고 살살 면봉을 돌려주세요."

그리고는 째려보면서 말만은 친절하게 .

"좀 더 깊숙이 넣으세요."

그러면서 정말로 깊숙이 넣고 있는지를 보고는

"오케이, 자, 이제 15초 동안 살살 돌려주세요."

그리고는 그래도 미덥지 않으니

"이번에는 왼쪽 콧구멍에 넣어 보세요."

왼쪽 콧구멍도 똑같은 절차를 밟은 후, 검사자는 면봉을 건네받는다고 한다.

이 경우 콧구멍 '콰악' 쑤시는 것보다 스스로 참으면서 조절을 할 수 있는 것이다. 설사 콧구멍이 '쏴아' 하더라도, 고건 지 책임이니깐 불만이 있을 수 없다.

밝은이야말로 콧구멍 '콰악' 쑤심도 당해보고, 검사자 앞에서 스스로 자가 검사도 매주 해본 당사자인 까닭에 이렇게 소상히 알고 있는 것이다.

밝은이는 콧구멍 '콰악' 쑤심을 받고는 검사 결과가 나올 때까지 그 다음날 오전까지 집에서 자가 격리를 하였는데, 결과는 역시 음성이었다.

문제는 일주일 후에 또 다시 콧구멍 '콰악' 쑤심이 예고되어 있다는 거다.

그 늠의 델타 바이러스가 유행하는 바람에 코로나 환자가 대폭 늘어났고, 그래서인지 이제는 검사를 일주일 간격으로 두 번 해야 한다는 거다.

물론 방역을 철저히 하는 것에 대해 전혀 이의는 없다. 또한 이 무더위에 수고하는 방역진들에 대한 고마움도 난 잊지 않는다.

그렇지만 예방주사를 맞아 '격리 면제서'를 받은 사람까지도 진단 검사를 두 번씩이나 하여야 할까? 이것 역시 형식주의 아닌가?

그리고 이제 콧구멍 '콰악' 쑤시는 진단 검사 방법도 바꾸어야 하지 않을까?

생활

진즉 그랬음 우리 승아 코피도 사흘 동안 안 흘렸을 터인데…….

그렇지만 앞으로 코로나 진단 검사 받는 우리 국민들 놀라지 않고, 코 '쏴아'하는 경험 하지 않도록 미국처럼 바꾸어야 하지 않을까?

방역 당국 관계자들, 이 글을 읽으시고 하루 빨리 진단 검사 방법을 바꾸었음 좋겠다.

(2021.7.23)

이 책은 〈삶의 지혜〉 시리즈로 구성된 여섯 권의 책 중 하나이다.

쓴 이가 평생을 살아오면서 생활하고 느낀 것들을 모아 놓은 것인데, 그 내용을 간략히 추려 여기에 소개하면 다음과 같다.

〈삶의 지혜 1: 근원(根源)〉은 문화, 예술, 종교, 그리고 존재의 본질에 관해 써 놓은 에세이이다.

여기에서 쓴 이는 이 세상의 본꼴이라는 주제로 허상(虛像) 속의 실상(實相)을 찾는다. 우리의 삶이라는 허상 속에도 가장 근원적인 것이 있고, 그것을 이해하면 우리의 삶을 풍요롭게 하는 지혜를 가질 수 있다는 메시지를 전달하려 한다.

주제가 철학적이고 심리학적이어서 제목만 보면 언뜻 무거워 보이나, 내용은 전혀 그렇지 않다. 쉽고 재미있게 쓴 것이어서 부담 없이 읽으며, 우리의 삶을 풍요롭게 하는, 적어도 삶의 가치에 대한 슬기를 얻을 수 있다고 확신한다.

〈사람의 지혜 2: 아름다운 세상, 추한 세상, 어느 세상에 살고 싶은가요?〉는 1권에서 제시한 삶에 관한 보기들이라고 할 수 있다.

이 세상의 삶은 나에 달려 있음을 바탕으로 삶의 지혜를 제공하는 단편들로 이루어져 있다고 볼 수 있다.

내가 누구에게나 정말로 권하고 싶은 책이다.

〈삶의 지혜 3: 정치와 정책〉은 우리가 사회생활을 해나가는 동안 나타나는 여러 문제들과 그것을 해결하는 방법을 제시한 글이지만, 앞의 두 권이 주로 개인의 관점에서 삶의 지혜를 주는 것이라면, 이 책은 사회의 관점에서 우리가 어찌해야 할 것인지를 논의하고 있다.

우리 곁에 늘 있는 현상이지만, 보통 사람들은 별 관심을 가지지 않는, 그러나 우리 생활에 직접적인 영향을 미치는 정치 현상을 좀 더 쉽게 이해하고, 제대로 알았으면 하여 쉽게 써 놓은 글들을 모아 놓은 것이다.

이 책은 정치란 무엇이고, 정책이란 무엇인지를 보는 눈을 기른다는 점에서 정책학을 공부하는 학생들은 물론 일반 국민들도 모두 읽어 보았으면 하는 책이다.

네 번째 책인 〈삶의 지혜 4: 미국의 문화와 생활〉은 책 제목이 말해주듯이 주로 미국에 유학하여 생활하며 느꼈던 미국 문화의 특징과 미국인의 가치관, 그리고 미국 유학과 관련된 일상들 및 귀국 후의 생활을 정리해 놓은 것이다.

이 책을 통해서 미국인의 문화와 가치관을 이해하거나, 미국 유학 및 미국 생활에 필요한 유용한 정보를 얻을 수 있으리라 생각한다.

나가며

뿐만 아니라 미국에 살다 귀국하게 되면 부딪치는 일들에 관한 경험을 적어 놓은 것이어서, 이러한 것들이 미국에서 고국으로 영원히 귀국하시는 분들의 적응에 도움이 될 수 있으리라 생각한다.

다섯 번째 책 〈삶의 지혜 5: 세상이 왜 이래?〉는 '생각'과 '생활'이라는 두 부분으로 크게 나누어진다.

'생각' 부분은 나 자신의 생각이 나에게 미치는 영향, 나와 다른 사람들과의 관계에 관한 통찰, 시간과 소유, 무소유, 공유에 관한 나의 생각 등을 제시해 놓은 것으로서, 어찌 보면 〈사람의 지혜 2: 아름다운 세상, 추한 세상, 어느 세상에 살고 싶은가요?〉의 연장선상에 있는 내용이라 할 수 있다.

'생활' 부분은 일상생활에서 생기는 일들에 대한 나의 소회를 적어 놓은 부분과, 정치 관련 에세이들, 그리고, 작년부터 우리를 '방콕'하게 만들었던 코로나 사태와 관련하여 생긴 일들과 받아들이기 어려운 세상의 변화에 대한 나의 느낌 등을 적어놓은 것이다.

여섯 번째 〈삶의 지혜 6: 삶의 흔적이 내는 소리〉에서는 삶과 자연에 대한 감상 따위를 시답지 않은 시의 형식을 빌려 그 동안 틈틈이 끄적거려 놓았던 시와 시조 및 산문 등과 우리 집 막내가 써 놓은 어렸을 때의 일기를 덧붙이고, 여기에 우리말 우리글에 대한 생각들을 적어 놓은 에세이 등으로 책을 펴내려고 한다.

이 책은 우리가 우리말 우리글에 대한 애착을 가지거나, 그냥 순수한 마음으로 아무런 생각 없이 시를 읽고 감상하는 것도 또 다른 생활의 지혜 아닐까 싶어 한데 엮어 놓은 것이다.

이 여섯 권의 책은 대부분 나의 생각이고 나의 경험을 적어 놓은

나가며

것이지만, 우리의 삶을 풍요롭게 해줄 수 있는 지혜를 줄 수 있으리라 생각하여 부끄러움을 무릅쓰고 내 놓은 것이다.

　읽는 분들에게 도움이 되면 좋겠다.

2021.7.5

송원

책 소개

* 여기 소개하는 책들은 **주문형 도서(pod: publish on demand)**이므로 시중 서점에는 없습니다. 교보문고나 부크크에 인터넷으로 주문하시면 4-5일 걸려 배송됩니다.

http//pubple.kyobobook.co.kr/ 참조.

http://www.bookk.co.kr/store/newCart 참조.

여행기

〈러시아 여행기 1부: 아시아 편〉 시베리아를 횡단하며. 부크크. 2019. 국판 칼라. 296쪽. 24,300원. / 전자책 2,500원.

〈러시아 여행기 2부: 쌍 뻬쩨르부르그 / 황금의 고리〉 문화와 예술의 향기. 부크크. 2019. 국판 칼라. 264쪽. 19,500원. / 전자책 2,500원.

〈러시아 여행기 3부: 모스크바〉 동화 속의 아름다움을 꿈꾸며. 부크크. 2019. 국판 칼라. 276쪽. 21,300원. / 전자책 2,500원.

〈마다가스카르 여행기〉 왜 거꾸로 서 있니? 부크크. 2019. 국판 칼라 276쪽. 21,300원. / 전자책 2,500원.

〈유럽여행기 1: 서부 유럽 편〉 몇 개국 도셨어요? 부크크. 2020. 국판 칼라. 280쪽. 21,900원.

〈유럽여행기 2: 북부 유럽 편〉 지나가는 것은 무엇이든 추억이 되는 거야. 부크크. 2020. 국판 칼라. 280쪽. 21,900원.

〈북유럽 여행기: 스웨덴 노르웨이〉 세계에서 제일 아름다운 곳. 부크크. 2019. 국판 칼라. 256쪽. 18,300원. / 전자책 2,500원.

〈유럽 여행기: 동구 겨울 여행〉 집착이 삶의 무게라고⋯⋯. 부크크. 2019. 국판 칼라. 300쪽. 24,900원. / 전자책 3,000원.

〈포르투갈 스페인 여행기〉 이제는 고생 끝. 하느님께서 짐을 벗겨 주셨노라! 부크크. 2020. 국판 칼라. 200쪽. 14,500원. / 전자책 2,500원.

〈미국 여행기 1: 샌프란시스코, 라센, 옐로우스톤, 그랜드 캐년, 데스 밸리, 하와이〉 허! 참, 이상한 나라여! 부크크. 2020. 국판 칼라. 328쪽. 27,700원. / 전자책 3,000원.

〈미국 여행기 2: 캘리포니아, 네바다, 유타, 아리조나, 오레곤, 워싱턴 주〉 보면 볼수록 신기한 나라! 부크크. 2020. 국판 칼라. 278쪽. 21,600원. / 전자책 2,500원.

〈미국 여행기 3: 미국 동부, 남부. 중부, 캐나다 오타와 주〉 그리움을 찾아서. 부크크. 2020. 국판 칼라. 286쪽. 23,100원. / 전자책 2,500원.

〈멕시코 기행〉 마야를 찾아서. 부크크. 2020. 국판 칼라. 298쪽. 26,600원. / 전자책 3,000원.

〈페루 기행〉 잉카를 찾아서. 부크크. 2020. 국판 칼라. 250쪽. 17,000원. / 전자책 2,500원.

〈남미 여행기 1: 도미니카, 콜롬비아, 볼리비아, 칠레〉 아름다운 여행. 부크크. 2020. 국판 칼라. 262쪽. 19,200원. / 전자책 2,000원.

〈남미 여행기 2: 아르헨티나, 칠레〉 파타고니아와 이과수. 부크크. 2020. 국판 칼라. 270쪽. 20,400원. / 전자책 2,000원.

〈남미 여행기 3: 브라질, 스페인, 그리스〉 순수와 동심의 세계. 부크크. 2020. 국판 칼라. 252쪽. 17,700원. / 전자책 2,000원.

〈일본 여행기 1: 대마도 규슈〉 별 거 없다데스! 부크크. 2020. 국판 칼라. 202쪽. 14,600원. / 전자책 2,000원.

〈일본 여행기 2: 고베, 교토, 나라, 오사카〉 별 거 있다데스! 부크크. 2020. 국판 칼라. 180쪽. 13,700원. / 전자책 2,000원.

〈중국 여행기 1: 북경, 장가계, 상해, 항주〉 크다고 기 죽어? 교보문고 퍼플. 2017. 국판 211쪽. 9,000원. / 부크크. 전자책 2,000원.

〈중국 여행기 2: 계림, 서안, 화산, 황산, 항주〉 신선이 살던 곳. 교보문고 퍼플. 2017. 국판 304쪽. 11,800원. / 부크크. 전자책 2,000원.

〈타이완 일주기 1: 타이베이, 타이중, 아리산, 타이나, 가오슝〉 자연이 만든 보물 1. 부크크. 2020. 국판 칼라. 208쪽. 14,900원. / 전자책 2,000원.

〈타이완 일주기 2: 헌춘, 컨딩, 타이동, 화렌, 지룽, 타이베이〉 자연이 만든 보물 2. 부크크. 2020. 국판 칼라. 166쪽. 13,200원. / 전자책 1,500원.

〈태국 여행기: 푸켓, 치앙마이, 치앙라이〉 깨달음은 상투의 길이에 비례한다. 교보문고 퍼플. 2018. 국판 202쪽. 10,000원. 부크크 전자책 2,000원.

〈동남아 여행기 1: 미얀마〉 벗으라면 벗겠어요. 교보문고 퍼플. 2018. 국판 302쪽. 11,800원. / 부크크. 전자책 2,000원.

〈동남아 여행기 2: 태국〉 이러다 성불하겠다. 교보문고 퍼플. 2018. 국판 212쪽. 9,000원. / 부크크. 전자책 2,000원.

책 소개

〈동남아 여행기 3: 라오스, 싱가포르, 조호바루〉 도가니와 족발. 교보문고 퍼플. 2018. 국판 244쪽. 11,300원. / 부크크. 전자책 2,000원.

〈동남아시아 여행기: 수코타이, 파타야, 코타키나발루〉 우좌! 우좌! 부크크. 2019. 국판 칼라 234쪽. 16,200원. / 전자책 2,000원.

〈인도네시아 기행〉 신(神)들의 나라. 부크크. 2019. 국판 칼라 132쪽. 12,000원. / 전자책 2,000원.

〈중앙아시아 여행기 1: 카자흐스탄, 키르기스스탄〉 천산이 품은 그림. 부크크. 2020. 국판 칼라 182쪽. 13,800원. / 전자책 2,000원.

〈중앙아시아 여행기 2: 카자흐스탄, 키르기스스탄〉 천산이 품은 그림 2. 부크크. 2020. 국판 칼라 180쪽. 13,700원. / 전자책 2,000원.

〈조지아, 아르메니아 여행기 1〉 코카사스의 보물을 찾아 1. 부크크. 2020. 국판 칼라 184쪽. 13,900원. / 전자책 2,000원.

〈조지아, 아르메니아 여행기 2〉 코카사스의 보물을 찾아 2. 부크크. 2020. 국판 칼라 182쪽. 13,800원. / 전자책 2,000원.

〈조지아, 아르메니아 여행기 3〉 코카사스의 보물을 찾아 3. 부크크. 2020. 국판 칼라 192쪽. 14,200원. / 전자책 2,000원.

〈터키 여행기 1: 이스탄불 편〉 허망을 일깨우고. 교보문고 퍼플.
2017. 국판 235쪽. 9,700원. / 부크크. 전자책 2,500원.

〈터키 여행기 2: 트로이, 에베소, 파묵칼레, 괴뢰메 등〉 잊혀버린 세월
을 찾아서. 교보문고 퍼플. 2017. 국판 254쪽. 10,200원. / 부크
크. 2019. 전자책 2,500원.

〈시리아 요르단 이집트 기행〉 사막을 경험하면 낙타 코가 된다. 부크크.
국판 268쪽. 14,600원. / 전자책 2,500원.

우리말 관련 사전 및 에세이

〈우리 뿌리말 사전: 말과 뜻의 가지치기〉. 재개정판. 교보문고 퍼플.
2020. 국배판 916쪽. 75,500원. /전자책 20,000원.

〈우리말의 뿌리를 찾아서 1〉 코리아는 호랑이의 나라. 교보문고 퍼
플. 2016. 국판 240쪽. 11,400원. / e퍼플. 2019. 전자책 247쪽.
4,000원.

〈우리말의 뿌리를 찾아서 2〉 아내는 해와 같이 높은 사람. 교보문고 퍼
플. 2016. 국판 234쪽. 11,100원.

책 소개

〈우리말의 뿌리를 찾아서 3〉 안데스에도 가락국이……. 교보문고 퍼플.
2017. 국판 239쪽. 11,400원.

수필: 삶의 지혜 시리즈

〈삶의 지혜 1〉 근원(根源): 앎과 삶을 위한 에세이. 교보문고 퍼플.
2017. 국판 249쪽. 10,100원.

〈삶의 지혜 2〉 아름다운 세상, 추한 세상 어느 세상에 살고 싶은가요?
교보문고 퍼플. 2017. 국판 251쪽. 10,100원.

〈삶의 지혜 3〉 정치와 정책. 교보문고 퍼플. 2018. 국판 296쪽. 11,500
원.

〈삶의 지혜 4〉 미국의 문화와 생활, 부크크. 2021. 국판 270쪽. 15,600
원.

〈삶의 지혜 5〉 세상이 왜 이래? 부크크. 2021. 국판 248쪽. 14,800원.

〈삶의 지혜 6〉 삶의 흔적이 내는 소리. 부크크. 근간.

기타 전문 서적

〈4차 산업사회와 정부의 역할〉 부크크. 2020. 152 * 225 84쪽.
8,200원. ISBN 9791137209473 / 전자출판. 2,000원.

〈4차 산업시대에 대비한 사회복지정책학〉 교보문고 퍼플. 2018.
152 * 225 양장 753쪽. 42,700원. ISBN 9788924056594

〈사회과학자를 위한 아리마 시계열분석〉 교보문고 퍼플. 2018. 258
쪽. 국판. 10,100원. ISBN 9788924056273

〈회귀분석과 아리마 시계열분석〉 한국학술정보. 2013. 152 * 225
188쪽. 14,000원. ISBN 9788926846438(8926846431) / 전
자책 8,400원.

〈사회복지정책론〉 송근원 김태성 공저. 나남. 2008. 153 * 224
ISBN9788930033688(8930033687) 424쪽. 16,000원.

〈선거공약과 이슈전략〉 한울. 1992. 국판 206쪽. 5,500원. ISBN
9788946020153(8946020156)

지은이 소개

- 송근원

- 대전 출생

- 전 경성대학교 교수, 법정대학장, 대학원장.

- e-mail: gwsong51@gmail.com

- 여행을 좋아하며 우리말과 우리 민속에 남다른 애정을 가지고 있음.

- 저서: 세계 각국의 여행기와 수필 및 전문서적이 있음